一流の男、
二流の男

里中李生

三笠書房

まえがき

なにが一流と二流を分けるのか？
——その分岐点がここにある！

一流の男とそうでない男との違いは、たったひとつ。

その人に信念があるかないかである。

あるいは、その人の人生に哲学があるかないか、と言ってもいい。

物事のひとつひとつに対する信念。

お金に対する信念。

女に対する信念。

仕事に対する信念——。

それを形成すべきは、若い頃、とくに二十歳前後が理想だが、大器晩成という言葉もあるように、三十歳からでも決して遅くはない。

自分が駄目だと思って諦めている人は、何か信念があるのだろうか。「いい人」で終わってしまうようでは話にならない。確固たる信念を持って生きていかねばならない。

そして、成功したければ、今の時代は、精神的にも経済的にも独立しなければならない。とくに、精神的な部分で未熟であってはならない。

会社に依存していれば、すべてが順調に運ぶ時代は終わった。完全に終わっている。なのに、そのことに気づかない若者たちは、若いうちに、自立するための信念を構築しないのである。だから、社会に出てから狼狽《ろうばい》する。そして、ニートになったり、パラサイトシングルになったりして、女たちからも敬遠されてしまう。

これからの時代は、「男らしさ」で生きていくのである。

今は、男らしくないと生きていけない。なぜなら、女に依存することもできない時代だからだ。女も、バブルの頃とは一変して、弱くなっている。男が男のための弱肉強食社会、つまり格差社会を作ってしまったからである。一部の勝ち組だけが、圧倒的に強い時代になっていて、それを認めないわけにはいかないのが現状だ。

「格差がなくなるのを待っている。また、バブルのような時代に戻ってほしい」と甘えたことを考えていないか。

自分の言葉、哲学、信念を持って、格差社会と闘わなければならない。

目の前の敵から倒していかなければならない。

敵は、格差社会。

羞恥心をなくした女たち。

甘やかしてくれる親。

そして、甘えている自分自身だ。

里中李生

目次

2章

相手から「一目置かれる男」の共通点

一流と二流を決める分岐点――「仕事」

3章

一流と二流を決める分岐点――「才能」

「自分の才能」をどこまで信じているか？

5章

一流と二流を決める分岐点――「恋愛」

女には「自分のすべて」を見せてはならない!

6章

一流と二流を決める分岐点——「逆境」

哲学のある男に敗北はやってこない！

本文DTP／株式会社Sun Fuerza

1章

一流と二流を決める分岐点——「哲学」

ちょっと硬派な、群れない男の生き方

どんな時代でも勝ち抜く「男の哲学」

弱肉強食という素晴らしい言葉がある。

弱者の上に強者が立つ当たり前。

才能のない男、努力を怠る男は、それがある者、死ぬほど頑張っている者に勝てない当たり前。

仕事ができない者はクビを切られ、できる者と上手に生きている者（ある意味、強者）だけが企業に残る当たり前。

弱肉強食こそが世の中の真の姿ならば、今の状況は嘆かわしいものではない。

むしろ、私は声を大にして言いたい。

「時代のせいにして、あなたたちは甘えている」

と。

どんな時代でも強い者は残っていく。才能のある者は稼いでいる。努力している者は生き残っていく。

そこからはみ出した男たちは、弱者、敗者であり、国が保護する必要はない。

なのに、せこい額の金絡みの犯罪が起こるたびに、「時代のせいですかねえ」とニュースキャスターは暗い顔をする。

犯罪はいつの時代もなくならない。形を変えるだけだ。せこい犯罪、場当たり的な犯罪は増えたかもしれないが、一昔前は計画的な犯罪や巨額の金が絡んだ犯罪が多かった。エリートの甘え意識による犯罪もあった。

時代に〝八つ当たり〟する男は二流で終わる

あなたは強者になることができず、時代に八つ当たりしているだけだ。

成功者は皆、こう言うだろう。「こんな時代こそチャンスだ」と。

たとえば、バブルの頃の金融機関は傲慢だった。サービス業はサービスをサボっていた。女たちは、愛ではなく金にぶら下がっていた。

タクシーがいい例だ。

ワンメーターだと乗車拒否をされたものだ。降りる時に、「ありがとうございます」も言われなかった。

先日、私は大きな荷物を抱えていたので、羽田空港から上野駅までタクシーを使おうと、空港からタクシーに乗り込んだ。

「お客さん、上野駅からは電車？」

「そうですよ。自宅の大宮まで」

「大宮まで乗ってくれませんか」

「ええ？　大宮まで乗ったら、二万円を突破しますよ」

「一万三千円でメーターを止めますから。お願いします」

私は一種の感動を覚えた。運転手が必死なのだ。弱者にならないために工夫し、客に頭を下げる。そして今日の稼ぎを手に入れる。それは当たり前の行為である。

バブルの頃は、長距離は当たり前。一万も二万も使った上にチップまで払う客がいた。電車なら五百円で帰れる道程を、銀座からタクシーで帰っていた時代は間違いなく破綻していた。電車を使えない有名芸能人と一介のサラリーマンが同じ行動、同じ態度だった。それを当たり前だと思っていたタクシーの運転手も傲慢だった。

銀行は客を待たせておきながら、「お待たせしました」と、絶対に言わなかった。女性行員は雑談をしながら札束を数えていた。

女たちは、六本木に来るＢＭＷをカローラと呼んで笑っていた。四百万円以上する外車を安い車と言うのだ。一千万円以上する高級クラスのベンツ、ポルシェ、フェラーリなどが彼女たちの当たり前だった。体中をブランド物で覆い、月三十万円するマンションに男付きで住んでいたものだ。

そして職は……。

職は溢れていた。とくにズバ抜けた才能がなくとも、たとえサボり癖がついていようとも、ちょっといい大学を出ていたら大手銀行が待っていてくれた。そこが気に入らなければ、大手メーカーへ転職。また気に入らないと、別の企業へ。転職がファストフード店に出入りするくらい簡単だった。

完全に飽和していた。

弱者も勝者も一緒くたにされ、何が男の真価なのか分からなかった。

才気溢れる男と無才の男が、同じ年収を手にしていたのだ。

弱肉強食が人間社会の真の形なら、そんなことは許されない。絶対に許されない。

時代が不況なら男の価値は一目瞭然で分かる。

金がある者、不況でも充実している者が勝者である。才能のある者はそれを認められ、引く手あまただ。

しかし、バブルの頃は分からなかった。金と仕事が溢れ返っていて、〝区別〟がつかなかったのだ。

交友関係もあいまいだった。勝者も敗者もない馴れ合いと上辺だけの友情の世界がそこにあった。

不況の時代なら重要で慎重になる金の貸し借りも、ささいな出来事だった。


バブルは狂気だった。あの時代には戻すな。

働けば金は入る。働けない者は単なる敗者。

敗者には、金はもちろん、女もまともな料理もあたえられない。

それが当たり前なのだ。

弱肉強食なんだから、それが当たり前なのだ。
いつまでも、〝弱者〟の影にすがっていてはいけない。

より具体的な計画を立てよ

成功する人間、または仕事をきちんとこなす人間には、そうじゃない人間と明確な違いがある。

それは、どこまで計画を立てているかの違いだ。

毎日を怠惰に過ごして、将来どうするかも決めていない男は、どうあがいても出世しない。分かっていると思うが、年功序列の時代はすでに終焉している。

今は、自分で自分がいつ、何を、するか、決める時代だ。

サラリーマンであれば、たとえばこういう計画を立て、それを日々イメージしていないといけない。

・三十歳で主任
・三十五歳で課長
・四十歳で独立
・四十五歳で年収二千万円
・五十歳で一戸建てを建設
・六十歳で引退。遊んで暮らす

という具合だ。

その間に高級車を運転している自分の姿や、若さを保つために、若い女を抱いているところもイメージすることだ。

寝る前に想像し、興奮して眠れなくなるくらいがいい。

一年間ごとの計画も立てないと駄目だ。

春までに売上げを三十パーセントアップする。夏までに彼女を作る。冬までに車を買う。

仕事、女、趣味。この三つは常にイメージしていることだ。

そのエネルギーは、あなたの右脳を全開にし、豊かな想像力を生み出す。それに従って行動すれば、必ず好結果がついてくる。

また、目標はどんどん口にすることだ。

「俺は独立するぞ」

と、仲間に吹いて回るのがいい。その口癖が独立するためのエネルギーになるのだ。

私が三十歳を過ぎても作家になるのを諦めなかったのは、親や親戚、友人たちに、「俺は作家になるぞ」と宣言してきたからだ。引っ込みがつかなくなったのだ。

だが、それはそれはすごいエネルギーを生むもので、「嘘つき」と言われたくない一心で、私は頑張ってきた。

どんな計画を立てればよいか

あなたも、「独立して、一発儲けてやる」と、皆に吹いて回らないといけない。

言うだけならタダだ。

しかし、宣言したことによるプレッシャーは、あなたの才能を爆発させるか、あなたを病気にするかのどちらかだ。とはいえ、才能開花か病気か、その二分の一の確率に賭けるのも、また人生の楽しいところではないか。

プレッシャーに負けて病気になったらなったで、けっこう同情されて「嘘つき」呼ばわりされないですむかもしれない。

だったら、独立宣言をして、才能を開花させる確率に賭けてみるのも悪くない。

独立は、できれば早いほうがいい。

体が動くうちがいいのだ。理想は三十代である。

しかも、相談できる女を作れる年齢じゃないと駄目だ。山崎豊子の大ベストセラー『白い巨塔』を読んでも分かるが、優秀な男には必ず頭のいい女がついている。それは妻だけでもいいし、妻と愛人だっていい。

女は男がピンチになったら助けてくれる。金銭的なことではなく、優しさやセックスで助けてくれるのだ。

だから、計画の中には、「女」も入れないと駄目だ。

モラリストがなんと言おうと、親が嘆こうと、女を諦めてはいけない。

本書では、仕事の邪魔をする女をずいぶん罵倒しているが、逆に仕事や健康をサポートしてくれる女は、何よりも大切な宝物だ。男にとって、もっとも尊い存在である。

計画は、まず長期的なところから考え、きちんと脳にインプットする。

その長期計画は、頭にこびりついて離れないようにしないといけない。

それから一年間の計画を立てる。仕事、女、趣味は必須だ。

そして一週間の予定も立てる。

最後に、朝起きた時に一日の計画を立てる。

楽しいことばかりをイメージすること。お金がない時は、お金が入ってくることをイメージし、仕事が上手くいかない時は、仕事がスムーズに運ぶところをイメージする。精力があるうちは、女とのセックスをイメージする。


計画を立てイメージする。

あなたの人生はそれだけで変わっていく。

「遊び」を知らない男は二流で終わる

「贅沢をするな」とか「楽をせずに苦労しろ」とか、そんな古臭いことは言わない。

若い時は遊ぶ時期だ。

後章でも述べるが、私は病気で遊べなかったから、これを読んでいる若い皆さんには大いに遊んでもらいたい。

ただし、他人に迷惑をかける遊びはいけない。規則を守れない遊びもしかりだ。改造車で暴走したり、街で喧嘩をしたり、名前も知らない女を抱いて捨てたり……。それは〝遊び〟ではなく、時間の無駄遣いであり、度が過ぎると、人を死なせることもある、危険な〝退屈しのぎ〟である。

学生時代の、あまり役に立たない日本の教育で、個性と夢を押しつぶされてきた我々は、学校を卒業したら、自分の好きなものを見つけ、それを吸収しないといけない。

映画、舞台、スポーツなどを熱心に見て、読書をして、創作をする。

会社で、新しいモノを作ろうという人間が、映画の一本も見ないでどうするか。

誰かと語り合わなければいけないのに、本も読まないでどうするか。

私の知り合いにも、映画はまったく見ない、本も新聞も読まない、という男が何人かいる。

彼らが出世することはない。できる人間と出会って、救われることもない。

人柄だけでは成功しない。

あなたがどんなに善い人でも、世間知らずでは出世できない。

人柄にプラス、感性と知識がないと駄目なのだ。

感性も知識も、芸術やスポーツ、音楽、本から吸収することができる。

「知識」という言葉を出すと、単なる雑学に走ってしまう人がいるが、知識よりも知性が大切であり、知識に縛られてはいけない。

男として、最低限のことを知っていればいい。

他人に迷惑をかける遊びに興じていては、最低限の知識も得られない。出来損ないの大人が死ぬまで誰かに迷惑をかけながら生きているだけである。

三十歳を過ぎた私を奮い立たせたもの

若い頃に苦労すれば、必ずしも出世するわけではない。

反骨精神は強くなるから、苦労知らずの人間よりは、出世する確率は高いかもしれないが、出会いの運や才能のほうが重要なのだ。

私の場合、十代、二十代と病気で苦労してきた。そのため、精神力はつき、負けない力は備わった。

だが、病気をしている時にずっとベッドで寝ていたわけではない。映画を片っ端から観て、読書をしていた。サッカーが日本でブームになる前から、W杯を見ていた。テニスのウィンブルドンもゴルフのマスターズも見ていた。エリック・クラプトンが日本でブレイクする前から武道館に行っていた。

だから、様々な感性の人と話ができた。

そしてさらに多くのことを吸収した。

出会いの運はそこから生まれるのである。

また、何かひとつくらいは特技がないといけない。何もなければ、特技を身につけないといけない。

私には文章を書く特技と写真の特技があった。

それが今は仕事につながっている。

とはいえ実は、私には二十代で文章力が認められる才能がなかった。

だから、二十代では本を読み漁り、文章を書く練習をし、映画を観て、スポーツ観戦をした。特技として写真を我流で極めた。

それは苦労ではない。

男として当たり前のことなのだ。

新聞さえも読まない男から、「どうすれば里中さんみたいになれますか?」と聞かれても困るだけだ。

今、私は二紙しか購読していないが、作家になる前は、無理をして三紙も購読していた。日経、毎日、スポーツ紙。夕刊タブロイド紙も読んでいた。作家になる前のほうが読書家で、映画もよく観ていた。

若い時にするべきことは、素敵な女の子と恋愛をし、一緒に映画を観て、本を読み、夢を語り合うことだ。

これらのことを軽視してしまった人たちはどうすればいいか。

それをトラウマにして、突っ走ればいい。

「俺は若い頃、遊んで勉強しなかった。なんてバカだったんだ」

と、絶望してほしい。

その絶望感から這い上がるためには、ものすごいエネルギーを使う。たとえば、三十代になっても二十代と同じくらいの体力が欲しければ、ジムに通って身体を鍛え、若さを保たなければいけない。決して挫けてはならない。

病気をしていたから、実は、私には、十代で素敵な女の子との恋をできなかったトラウマがある。

だが、それは、三十歳を過ぎた私を奮い立たせた。病気が快方に向かい、体重が増加してきた私は、体を鍛えた。

食事にも信念を持ち、清潔感のある身なりを守っている。そのせいか、今でも三十代と見間違えられることがあるくらいだ。
体力を維持するには太らないこと。
無論、二十代の時にかじらなかった映画を観たり読書したりするのも遅くはない。
貪りついてほしい。

「群れない男」の魅力とは

本田宗一郎と藤沢武夫は、仲良しの友達だったのだろうか。

私は違うと思う。仕事でぶつかり合った戦友なのだ。

友達なんかいらない。

仕事を成功させるためには、傷をなめ合って遊ぶような友達なんかいらないのだ。

居酒屋に行って、同僚と会社の上司の悪口を話す。そして、少しだけストレスを解消して帰宅する。

その時間の無駄をなくせ。

建設性がなく、その友達はなんの役にも立たない。

私には友達なんかいない。

理由は二つ。

まず、私がバカをやっていたから。

そして、私が成功したから。

私は、夢を追うために会社を辞め、一時、女のヒモになった。それを見た友人たちは、「いい歳をして甘えている」と怒って（あるいは笑って）、私から離れていった。

私が成功してからは、財力に差が出たからか、私と付き合っていた男たちは、おかしくなってしまった。金を無心したりするようにもなった。

妬み以外の何ものでもない。

夢を追う男を妬む友達や、成功した男を嫉妬する友達なんかいらないではないか。

もし、あなたに友達がたくさんいるなら、ひょっとするとあなたは平凡なのかもしれない。

世の中は、平凡な人間（「普通」と呼ばれる人たち）が圧倒的多数を占める。

したがって、友達ができる確率が高いのも、平凡な人間なのだ。

絶滅寸前の動物には仲間はいないが、増殖したカラスや動物園のサルには仲間がたくさんいるではないか。私は絶滅寸前の希少な男で、平凡な男たちは駆除されても仕方ない凡庸な男なのだ。

友達がたくさんいるあなたは、危機感を持ったほうがいい。

戦争が始まったら、真っ先に戦地へ行かされる〝その他大勢〟になってしまう。

人を突き放す厳しさがあるか

私の場合は、戦友が何人かいる。

まず、アシスタント。すなわち弟子だ。弟子とはいえ、仕事に関しては、反対意見も出し合う。藤沢が死んだ時に本田が号泣したように、彼も私が死んだら泣いてくれるだろう。

それから、出版社の編集者である。本を作るために、意見をぶつけ合い、居酒屋でも愚痴をこぼすような関係にはならない。仕事以外では会わないが、仕事中は、どんな話もする。友達でもないのに、女の話もするし、趣味の話もする。そして、私の本が売れても、それを妬むなんてことはない。ただの友達なら、妬むだろう。

稀な親友を除いては、友達なんか突然豹変するものだ。

あなたがずっと同じ人間ならいいが、成功すれば、「金を貸せ」と言ってくるし、失敗したら、「バカだ」とどこかで笑っている。

「あいつは、いい奴だったのに、起こした事業を失敗して駄目になってしまった」と、会社に残った友達が言う。

勝負を避けた奴にバカにされることほど、腹立たしいことはない。

本物の親友がいるのはいいことだ。うらやましい。

だが、馴れ合いの友達ならいないほうがいい。

人生において、なんのプラスにもならない。

だったら、男より女のほうがいい。女なら、男が成功したら喜ぶもので、嫉妬なんかしない。話も聞いてくれるし、男を尊敬している女なら理解力がある。

私は友達がいない代わりに、戦友と女がいる。

妻は、私の仕事のサポートをしてくれるし、恋人は理解力を発揮する。仲のいいファンの女の子たちは、応援してくれて、励ましてくれる。

だから、なんの役にも立たない友達なんかいらないのだ。別に葬式に弔問に来る人の数を気にして、人生を送っているわけではあるまい。

友達を切り離すことは、一種の快楽である。
一人は孤高なものだという美学を体験できる。
あなたも邪魔な友達を捨ててみてはどうか。
自分にとって本当に大切なものが見えてくるはずだ。

こんな「話を聞けない男」にだけはなるな！

話を聞かない男。

これは、相談ごとや身の上話を嫌う男のことだ。

人が苦しんでいる時にその話をしようとしたら、「俺、そういうの嫌いだから」と気楽に生きていることを主張する男が、出世すると思うだろうか。

いわゆる刹那主義者に多く見られる、「今日が楽しければ満足」という信念を持っていて、それを邪魔する相談ごとを嫌う。

バブルの時代に、「今日、仕事が終わったら何をして遊ぼうか」と、その日の楽しみだけを考えていた輩《やから》。彼らはアフターファイブと呼ばれた至福の時間を取られることを今でも著しく嫌う。バブル期を謳歌した五十歳過ぎの男に多いかもしれない。

人間は、誰かの喜怒哀楽を聞きながら成長するものだ。

とくに、その人にとっての重大な失敗談や悩みごとは、あなたにとっても大切な経験になるだろう。

だから、あなたは悩みごとを相談されたら、熱心に聞かないといけない。

そして、あなたの悩みごとを聞かない男とは決して付き合わないことだ。

■人と語り合うことの大切さ

話を聞かない男といえば、「働かない男たち」も人の話を聞かない。

あなたの周りにも「五月病」になっているような男がいると思う。

彼らは、とにかく人のアドバイスに耳を貸さないのだ。自分は「不幸な境遇の男」で、「何も悪くない」と思っているから、注意などしたら最後、逆ギレされてどうなるか分かったものじゃない。

人生相談のコラムを読んでいても、「五月病」や「引きこもり」は、とにかく口を開かないようで、「まず、息子さんの話を聞いてあげなさい」と、三十歳を過ぎた息子に困っている母親に指南している。

私の経験で言うと、「五月病」の男は、何もかも、「自分が、自分が」という考えで、自分中心に回る仕事、生活なら認めるが、それ以外にはいっさい耳を貸さない。自分が好きな仕事。自分が起きる時間にできる仕事。自分の年齢に合った給料がもらえる仕事。自分の体力に合った仕事。職場が自分の家から近い仕事。

どうにもならないではないか。

五月病は確かに、病気の一種である。神経症を患ってきた私は「心の病」には寛大だが、「五月病」だけは認めたくない。実際に、そういう友達を見てきたが、甘えていて、怒りっぽくて、どうにもならなかった。

皆、百パーセント満足して仕事をしているわけじゃない。

なのに働いている。

甘えるな。

〝話を聞かない男〟は、一種の五月病である。

会社には来ているが、自分の世界に引きこもっていて、他人の精神を受け入れることができないのだ。

「自分さえ楽しければいい。人の身の上話なんか面倒くさい」

どうしようもないと思わないか。

人の死から目を逸《そ》らす男も駄目だ。話を聞かない。

死は哀しく、関わったら最後、楽しみが失せる。

それを〝話を聞かない〟男たちは極端に嫌う。

ある知り合いが、作家の中上健次が死んだ日に電話をしてきた。てっきりその話かと思ったら、別の用件で、中上健次については「寿命でしょ」と言っただけで、話を逸らすのである。

普段からそういう重い話を嫌う男だったが、私と同じく作家を目指していた男だし、尊敬する作家が死んだ時くらい、何か言ってほしかった。

私はそれ以来、人の大切な話を聞かない男とは付き合わないようにしている。

遊び友達で楽な男はいると思う。一緒にキャバクラに行ってくれるとか、趣味が共通しているとか……。

しかし、**あなたの人間性を啓《ひら》くために必要なことは、語り合うことなのだ。**

会社の将来のこと。

独立したいと考えていること。
女のこと。
尊敬する人物のこと。
時事のこと。
心の傷のこと。
刹那主義で、病的に自己中心的な男には、決して近寄らないことだ。

たとえば「粗食」――男を磨く方法

どんなに金がなくても、マクドナルドや吉野家で食事をすませているようでは、一流にも金持ちにもなれない。

不健全になって、ケチになるにはいいかもしれないが、他に生まれるものは、いっさいない。

ファストフード批判をすると、けっこう反発を受けるが、まさか一流のビジネスマンや芸術家が、サイゼリヤやすき家で食事をしているとでも言うのか。

していいるわけがない。

あの空間で、男の知性や想像力が磨かれるとでもいうのか。女子高生や子供と一緒にハンバーガーを食べて、空腹を満たして、それであなたの才能が開花するのか。

幸せ主義で、日々、老いに向かって流されているだけのなんの野心もない男が、マクドナルドのCMを見て、「ああ、幸せそうだな」と思い、出向くのがファストフード店だ。

また、空腹に耐えられず、一分でも早く満腹になりたい動物のような人間が駆け込む場所がマクドナルドだ。

共に、知性、野心、想像力、我慢――男の大切なものをすべて失っている。最低、最悪の大人の男だ。

マクドナルドは二十歳で卒業すること。金がなければ自炊すればいい。

心と体を強くする食事とは

食事がどれほど、その人間の能力開花に重要なものか、日本人は分かっていない。人間が肉体的に健康でいるために、さらに、精神を常に安定した状態に保つためにもっとも重要なことは、食事をきちんと摂ることなのだ。

〝粗食〟と呼ばれる食事は、日本人にもっとも適した食事である。

穀物中心で、肉は食べない。おかずは、その季節の旬のものを食べる。

そうすることで、日本人の体は、四季に溶け込んだ健康的な肉体となる。

冬に、夏にとれた冷凍ものを食べてはいけない。穀物と魚を中心にしてこそ、日本人は力強く生きられる。日本人の内臓は、穀物と魚を食べて、それを消化吸収しやすいように作られている。

私は普段、絶対に穀物と野菜、魚しか食べない。接待の席などでメニューに穀物がない時は仕方ないが、肉は月に一度くらいしか食べない。その時は、安い肉ではなく、松阪牛など、生産地が分かる品質の良い国産肉を食べている。

お金があるからだって？　毎日贅沢な食事をしていたら、松阪牛など食べられないが、毎日粗食で過ごしていたら、月に一度、松阪牛を食べるお金くらいできる。

あなたたちの食事代のやりくりが間違っているのだ。

良質な食事を摂れば、あなたの生活はがらりと変わる。

私が、無職のダメ男から、雑誌のフリーライターになって、成功の第一歩を踏み出した時期、実は粗食をしていた。

だから今、粗食、粗食とうるさく言うのである。

愛猫が事故で死んで、その罪滅ぼしのために、一年間肉断ちをしたのである。

私はもともと痩せていて、これ以上ウェイトが減るのが怖かったが、痩せることなんかなかった。むしろ、体重は増え、行動力がつき、競馬の成績も上がり、待望の書く仕事が舞い込んできた。

あの頃の私は本当にエネルギッシュだった。

付き合いが増え、今は変なものを食べることが多くなってしまったが（和食店に入ろうとすると、「そんな店はいいですよ」と、まずいラーメン屋に引っ張り込まれてしまう）、あの頃は、酒と穀物と野菜と魚だけだった。お金はまったくなかったが、マクドナルドなんかに入らなかった。それで心身が研ぎ澄まされていったのである。

体を鍛えるためには「肉が必要」というのは嘘だ。

日本人は腸が草食向きになっているのだ。別のタンパク質で筋肉を作ればいい。

プロレスラーの西村修さんは、癌に侵されてウェイトが八十八キロにまで落ちた。その後、食事を肉食から粗食に変え、ウェイトを百五キロに戻し、癌の再発を防いでいる。しかも、以前より強くなり、一流のレスラーになった。

ファストフードで食事をすませているうちは、一流にはなれない。

空腹で、マクドナルドに駆け込むような男は、欲求を我慢できない知能の低い人間であり、私がいくら成長論を説いても無駄。暴飲暴食、セックス、排泄、睡眠を繰り返すだけの動物的人生を送ればいい。

2章

一流と二流を決める分岐点——「仕事」

相手から「一目置かれる男」の共通点

あなたには、この「プロ意識」があるか

プロとは、お金をもらって仕事をしている者のことを言う。

将棋のアマ名人がどんなに頑張っても、プロの有段者に勝てないように、お金をもらうプロと無償で働いているアマとでは雲泥の差がある。

しかし、なかにはプロのくせに何もできない無能な男がいる。その男には自分がプロという自覚がないのだ。給料をもらっている以上、どんな仕事をしていようとも、その仕事のプロ。正確に仕事をしないと他人に迷惑がかかる。

警備員が夜勤の最中に寝ていて、その間に泥棒に入られたというニュースを耳にすることがある。私の知人にも、「夜勤の時にインターネットができるから」と言って、警備員になったバカがいる。無論、その三流会社の体質も悪いのだが、仕事もしない

で金だけもらって罪悪感がない人間ほど腐っている奴はいない。

先日、プロフェッショナルとそうでない男に、同じ日に直面する機会に恵まれた。

車で出かけた私は、途中ガソリンスタンドに寄って、給油と洗車を頼んだ。洗車している間に、同乗したアシスタントと昼食に行き、帰ってきたら、私の車は点検台の上にあった。

見ると、タイヤに穴が開いていた。釘を踏んだらしい。ガソリンスタンドの若い店員は、洗車の時にそれを発見し、私の目の前でタイヤの修理を始めた。それは手際よく、そして見事な技術だった。「ああ、プロだなあ」と思い、頭を下げたものだ。

私はガソリンスタンドの若者に礼を言い、そのまま買い物に出かけた。

そして、駅ビルの立体駐車場で事件は起きた。

私の車の前に、レガシィが停まっていた。その横には誘導員がいて、何かあったのか慌しい。その時、誘導員が突然、レガシィにバックするよう指示した。それはすごいアクションで、「早くバックしろ」と旗を振った。次の瞬間、レガシィは私の車に激突した。

ハンドルを握っていたアシスタントは呆然としていたが、私はすぐに車から降りて、

レガシィにではなく、誘導員に向かって走って行った。そして、

「おまえ、なにやってんだ！　後ろにいるのが見えなかったのか。それでもプロか。給料もらってるなら、きちんと働け！」

と怒鳴った。

誘導員は、苦笑いをし、「なに言ってるんだ、こいつ」という表情を作った。

「おい、なんだ、その態度は！」

私は誘導員に詰め寄った。あわや、暴行事件である。

それくらい、誘導員の仕事は怠慢で、正確性に欠け、プロとは程遠く、開き直った態度は社会人としても終わっていた。

私にはその誘導員が〝サル〟に見えた。サルでも旗を振ることはできる。

事故処理のために警察官が来た。

私は警察官を呼び寄せ、「悪いのは、あの誘導員だ」と耳打ちした。すると、警察官は、「お気持ちは分かります」と言い、私にこっそりとこう言った。

「実は、前にも同じ事故があったんですよ」

と。

こうして、この駐車場（デパートと提携している）は客を失っていく。

すべて、プロ意識の欠落したサルたちの責任だ。

アマチュアとプロはここが違う

あなたは、まさか、給料をもらっているのにもかかわらず、いい加減な仕事をしていないか。

給料をもらっている以上は、その仕事のプロ。

「誰にも負けない」くらいの気持ちでやらないと駄目だ。

スポーツのプロ選手は実力がつき、お客を魅了するようになったら、どんどん年俸が上がる。それを、「うらやましい。なんでこんなスポーツだけしか能のない奴が」と思っているようでは話にならない。彼らは客を呼ぶことができるのだから、給料が多くて当たり前なのだ。

あなたもそうなればいい。逆に言うなら、実力、実績がある人間に高い給料を支払わない会社は辞めたほうがいい。

私事だが、私はある編集者と口論になった時に、こんな暴言を吐かれた。

「クレームばかりつける作家」「別にもう書かなくていい」

と。

そうか。これだけ売上げに貢献したのに、プロとして認めてもらってなかったのか。プロとして完璧に本を作りたいから、あれこれ意見を出していたら、それを「クレーム」と受け取られたのか。

話にならないではないか。なぜなら、私はプロ意識を剥き出しにしたが、編集者はまるで感情的で、子供（つまりアマチュア）だったのだ。

人は、お金をもらうために働き、大金を得るためには、他人よりもすごいことをしないといけないと分かり、プロになっていく。

車の誘導員では給料はたかが知れているかもしれない。だが、いい加減に仕事をしてもいいというわけではない。その少ない給料がなくなったら、食っていけなくなるのだ。

そうなったら〝猿山〟で暮らすほかなくなる。猿山とは言うまでもなく、ホームレスの暮らす公園だ。

ホームレスを差別するな？

仕事ができない人間に優しくする余裕はない。今は淘汰の時代である。

いい仕事をするための「四原則」

私は執筆以外の仕事もしているので、企業との取引や接触が多い。つまり、企業にとって私は重要なクライアントであるはずなのに、常軌を逸した対応に唖然とすることが多々ある。

一、初期の利益にばかりこだわり、将来的な利益を考えない。
二、上の人間には丁寧に接するが、そうでない者には横柄な態度をとる。
三、仕事を迅速にやろうとしない。
四、法人は重要視するが、個人は軽視する。

一、は、こういう話だ。A社はB社に依頼され、コンピューターソフトを制作することになった。B社にはどうしても必要なソフトだが、開発する知識がなかったのだ。そこでA社は足元を見て、法外な初期費用を請求する。B社は泣く泣くそれを支払い、ソフトを受け取った。

そのソフトを使用した商品で、B社は売上げを伸ばそうとしたが、なかなか業績は上がらず、初期費用をペイすることすらできない。赤字を続けながら初期費用どころか、A社に手数料の一部を支払い続けた。その間、A社からは何の手助けもなく、とうとうB社は倒産してしまった。

一見すると、多額の初期費用を受け取ったA社が得をしたように見える。だが、そうではない。

もし、A社がB社にアフターケア、アドバイスを続け、手数料の負担も少なくしていたら、B社はつぶれなかったかもしれない。そうすれば、A社は初期費用だけではなく、長年にわたって、B社から手数料を取り続けることができたのだ。また、新たなソフトを格安で開発し、アイデアを提供することもできたはずだ。

そういう共存を掲げた仕事こそ大切なのに、今の時代の企業は目先の利益ばかりにこだわり、危機を乗り切ろうとしているように思えてならない。

二、は、私が実際に経験した話だ。ある会社との取引で、自宅に営業マンがきた。それは丁寧な物言いで、「ああ、営業のプロだな」と感心したものだ。ところが、数日後、連絡の中継ぎをした私のアシスタントが激怒して、私に言ってきた。「あの会社の営業マン、めちゃくちゃ言葉遣い悪いですよ。命令口調だし、態度も横柄だし、里中さんのこと、なめてるんじゃないですか」と。

まったくもって、間抜けな会社である。アシスタントはしょせんアシスタントだと思ったのだろう。取引先の重役にはペコペコするが、その部下には横柄に接しても許されると思っている。というか、そういう態度を見せるのが気持ちいいのだ。

二流の男たちは、人を見下げることでしかストレスを発散できない。「勝ち組、負け組」という言葉があるが、自分の立場に対して神経質になっている。だから、「こいつは自分よりも地位が下だ」と思うと、とたんに態度が大きくなる。

だが、そんな言動は必ず上の人間に伝わるものだ。会社の重役もその部下も、一個体だと思わないと、痛い目に遭う。

三、は、どうしたことだろうか。この時代、仕事はスピードが命なのにもかかわらず、それを分かっていない人がいる。

私は写真家でもあるのだが、撮ったフィルムはプロラボという現像所に預ける。「急いでください」と言うと、まあまあ急ぐが、何も言わないと、ずいぶん待たされる。

それが理解に苦しむのだ。ゆっくりでもいい仕事などあるのだろうか。何事も、速くて正確なのが一番喜ばれるのだ。いちいち断らないでも早く仕上げてほしいものだ。

他にも、「今すぐやってほしい」ことで「一週間かかる」などと言われる話はごまんとある。

四、は、ファンサービスを含めた話である。たとえばＪＲＡ（日本中央競馬会）。

馬主（つまり企業）には、三つ指をついて土下座するくらいの丁重な態度だが、馬券を買うファンはゴミ同然の扱い。競馬は馬主とファンで成り立っていて、どちらが欠けても立ち行かない。しかし、馬主は神様、ファンはうるさいだけだとＪＲＡは思っている。券売機が故障していたために当たった馬券を買えなかった事件でも、「中し訳ありませんでした」なんて絶対に言わない。「売買は成立していないので……」などとわけの分からないことを言って、開き直る。

しかし、大馬主の馬が他の馬を妨害しても降着にはしない。ファンが、「ええ？あんな進路妨害が許されるのか」と怒っても、知らんぷりである。

かつて、メジロマックイーンという大牧場の馬が武豊騎手で降着になった時、相手を落馬させてしまいそうなほどの大妨害だったから致し方なく降着にしたが、当たり前のように、この牧場はＪＲＡに大抗議をした。それは、「わしら大馬主（企業）は守ってくれるはずなのに、どういうことだ」という言い分だったのである。

ＪＲＡを例に挙げたが、あそこは〝役所〟だからどうにもならないだろう。同じようなことをあなたたちがしていたら、会社はひと月と持たない。

また、私はある仕事で、Ｃ社と提携した。ところが、そのＣ社、企業相手にばかり仕事をしてきたからか知らないが、個人の扱い方を知らない。

というか、なめているのである。中間報告はしない。お伺いは立てない。新規の見積書を頼むと、法人相手と同じ金額を要求してくる。銀座のクラブだって、相手を見て料金を変えているというのに何を考えているのか。

何より今は、法人だけが重要な相手になる時代ではない。一度に大金を動かすだけで経営危機を乗り切れるような、簡単な時代じゃないのだ。

そもそも法人であれ何であれ、一個人対一個人の交渉であり、付き合いなのである。

自分の目の前にいる人間の心をつかめないようでは、一流の男とは言えまい。

ビジネスは〝きれいごと〟ではない！

時代はサドに傾いている。

それはなぜか。

今は、誰でも金持ちになれる時代ではなく、努力家よりも天才がもてはやされるようになったからだ。

とはいえ、天才は一握り、天才じゃない男たちも生き残っている事実を認めないといけない。

天才じゃない生き残り組はどんな男たちか。

サドなのだ。

部下にも友人にも女にも、嗜虐性《しぎやくせい》（もちろん犯罪は犯さない）を示す男が強靱に見え、時代と闘っているように見え、それが敬いへとつながる。にもかかわらず、恋人に何も言えないマゾの男が多くなっている。

そんな男が、部下や大金を動かせると思うだろうか。日常の言動は、ビジネスの最中にも現れ、対する者を白けさせる。女の前ではマゾだが、会社に出ればサドに変身する器用な人間は稀にしかいないはずだ。

ビジネスは頼みごとではない。

強引に押し切るのがビジネスだ。

一流の男の〝自尊心〟とは何か

きれいごとは言わない。相手が偉い人なら、あらゆる手段を使ってでも押し切るのがビジネスだろう。

一昔前は違った。どこの会社も裕福だったから、どんな仕事も受け入れた。

強引さは必要なかった。ペコペコ頼んでおけば、相手が二流だったから、それで通ったのだ。

分かるだろうか。
二流の男は、頭を下げられただけで了解するのである。
それで自尊心が満たされるからだ。
だが、一流の男の自尊心を満たすことは並大抵の努力ではできない。
相手が一流では、ペコペコは通用しないのだ。
一流の男は人を見る。
頭を下げてくる男よりも、まっすぐ目を見る男を評価する。
そして、自分の同胞にしようと思う。
サドの同胞である。
サドの男はマゾの女は好きだが、マゾの男を嫌う。心底嫌う。
サディズムとマゾヒズムは個人の中に共存するものであり、両者は表裏一体だが、
臨床的には対極。サドはマゾを軽蔑している。
あなたは、まずサドを目指さなければいけない。
とはいえ、もう、本質がマゾの男に、「サドになれ」と言っても無理に決まっている。

本書では、サド、あるいは、サドになる素質のある男だけを相手に話を進め、マゾはいっさい無視する。

私もマゾの男が大嫌いである。

虫唾《むしず》が走るほど嫌いだ。

自発性が弱いマゾの男は時間の無駄を作る。

「前例がない」という言葉が飛び交い、保守的で先に進まない会議は、マゾ男のせいだ。

使えない女性社員がいるのもマゾ男のせいである。

彼らは攻撃的に金を運用できず、経済にも貢献しない。

■「受け身の男」がたどる運命

もっと具体例を挙げよう。

私の本を一番売っているある出版社は、私に対してとにかく強引だった。

頭なんか下げない。本のタイトルも勝手に決め、私が怒ると、「もう、印刷してしまった」と有無を言わせないのである。

しかし、それで成功した。当時売れない作家であった私にペコペコ頭を下げていては、ビジネスはスムーズに進行しない。売れてから初めて頭を下げるのである。

マゾは、押しも引きもできない。道徳者のふりをした偽善的ナルシストが多く、相手の気持ちなど理解しない。

それは能動と受動の違いだ。

能動では、相手を動かすため、主導権を握るために、相手をきっちり見据えていないといけない。

ビジネスで〝受動〟では話にならない。

成功させるためには〝強引さ〟も必要なのだ。

だから、今の時代はサドなのだ。

サドだけが勝ち残るのだ。

一昔前は、自分から動かなくてもよかった。

会社ははじめから巨大で、一流大学を出ていさえすれば、デスクに座っているだけで出世できた。

しかし、今は違う。

会社はいつでも合併か倒産の不安を抱えていて、自分から動かないと出世しないどころか、クビになってしまう。

勝ち残るために、サドになってほしい。

常に「一年先」を見て動く

パチンコ主義とは、いわゆる「日銭《ひぜに》志向」のことを言う。

遊びならまだしも、仕事が日銭志向では話にならない。

今日一日の黒字、赤字ばかりを気にして、黒字になるなら明日につながらない仕事も引き受け、自分だけがお金を手にして、部下や同僚の信用をなくすのである。

仕事は、一年、二年先を見て計画的に行わなければいけない。

そのためには、一カ月や二カ月赤字でも我慢しなければいけないのだ。

だが、それができる男は少ない。

とにかく一日にいくら儲かるか、それしか頭にない。パチンコのように、今日は黒字、明日は赤字、また黒字、また赤字を繰り返し、一カ月かかって結局たったの数万円しか黒字になっていないというパターンだ。

会社を大きくするには金がいる。

人を育てるにも金がいる。

しかし、日銭志向の人間は、その金を惜しむ。だから、会社はいつまで経っても大きくならず、人はついてこない。

昔、こんな話を聞いた。ある小さな会社の営業マンが、取引先からゴルフに誘われた。ところが車がなく、ゴルフ場へ行けない。そこで社長に、「車を貸してください」と申し出た。

社長はちょっと考える素振りを見せた後、仰天するようなことを言った。

「高速代とガソリン代がもったいないから、行かなくていい」

取引相手が重要じゃないと思ったのか知らないが、経費をケチっていて仕事が発展するはずがない。

この社長は、日銭の計算しかしていないのだ。

そもそも、この接待の目的は、営業マンにとっては、一年後の大口取引を見越してのものだった。しかし、この社長には一年後が見えないのである。この営業マンもそんな会社にいては伸びることはない。

こんなバカげた話が実際にあるのだ。私の周囲には似たようなケチ社長の話はゴロゴロ転がっている。

■男が意地でも続けなくてはならないこと

今日赤字でも一年後に利益が出るなら、それを続けないといけない。継続は力なり、と言うではないか。

しかし、こんなよくある説法は、聞く耳を持たない人が大半だから、具体例を挙げよう。

私は、競馬の同志を集めた「里中李生オフィシャルファンクラブ」を主宰している。今では月五十万円くらいの収入になっている。しかし、発足当時は月たったの一万円の収入しかなく、経費を計算するまでもなく大赤字だった。それは一年くらい続いた。

当時はダイヤルQ_2全盛の時代だったが、資金もなく、ＦＡＸで競馬のエッセイを一人ひとりに流していた。広告も打てないから、会員は十人足らず。夏競馬になると、馬券を買う人がいなくなり、一時は、一人だけの会員に向けて、エッセイを書き、FAXを流していた。それだけのために土曜日、日曜日を費やした。普通なら、嫌になってやめるはずだ。

だが、私はやめなかった。赤字でも土日を返上して、FAXを送り続けた。そうしているうちに、会員が増えていき、またそんな苦心を知ってくれている会員は脱会せずにずっと残ってくれた。

出入りが激しく、会員との交流がないダイヤルQ2の競馬予想はあっという間に消え、私の「競馬クラブ」はどんどん会員が増えていった。予想会社ではなく、「クラブ」にするために、親睦会を開き、ゴルフコンペをしたりしている。

私はそういうクラブにするために、お金と時間を犠牲にして、何年もやってきたのだ。日銭を気にしていたら、最初の半年で終わっていたが、私には計画性と我慢する精神力があった。

だから私は、日銭志向の男を見ると、異常にイライラする。

計画も立てず、我慢もせず、「お金が欲しい」「金持ちになりたい」とぼやく。

会社は突然大きくならない。

人間は突然あなたの周りに集まってこない。

ましてや、金や時間に対する〝器量〟が小さければ、どうにもならないではないか。

誰もあなたについてこない。

あなたの傍らにいる人は、金を取ろうと企んでいるだけで、決してあなたを尊敬してはいないのだ。

日銭で動く単純なあなたを利用して、もっと儲けようと思っている人間しか近寄ってこない。

■「成功した自分」を具体的にイメージせよ

二流、三流の男は、苦労して成功した者を妬《ねた》む。


私も、オフィシャルファンクラブを成功させたことで、競馬ファンからずいぶん攻撃されている。

だが、それは私が「勝ち組」にいる証拠。あなたも勝ちたければ、人から妬まれるくらいの仕事をしないといけない。

居酒屋で傷をなめ合って、満足しているうちは負けたままだ。

「俺もおまえも出世しねえなあ」と言っている友人とは縁を切って、あなたは出世しないといけない。

その友達から妬まれないといけないのだ。

そのためにはどうすればいいのか。

事業を成功させるためには、金を使うことを惜しまない。

人を育てるためにも。

労働に対して賃金が少なくても、それが将来につながるのなら我慢する。

計画性を持って、それを〝妄想〟する。

その妄想に向かって一直線に走る。

妄想という言葉が出たので、最後に一筆書いておく。

あなたは、自分が成功した時の形を〝妄想〟して生きないといけない。

このイメージは、ものすごいエネルギーとアイデアを生む。

私の本を年代順に読んでいる読者なら知っている。

「写真の仕事をしたい」と語った翌年に写真集を出し、「ベストセラーを出すのが夢」と語った翌年にベストセラーを出してみせた。

それらは、すべて私の妄想だった。

書店に、私の本が山積みされている光景をイメージしていた。印税で高級車を買い、それで彼女とデートする様を想い描いていた。

このエネルギーは半端ではない。

もし、あなたが、〝妄想〟できない人間なら、成功は諦めたほうがいい。想像力のない人間は知性がなく、知能が低いのである。

「人の上に立つ者」の条件とは

小説や漫画が面白いのはなぜか分かるだろうか。

それは主人公に強烈な個性があるからだ。

あなたは、漫画や小説に出てくるような個性溢れる男を目指さないといけない。

間違っても、背広とネクタイだけの人生を送ってはいけないのだ。

人間は、きちんと規則を守ることが偉いのだろうか。

他人と同じことをしていることが立派なのだろうか。

私は昔勤めていた会社に、ノーネクタイで出勤して、何度も上司に怒られた。カジュアルに着こなすネクタイは好きだが、会社のネクタイは似合わないと思っていた。

だが、私のネクタイ嫌いは仕事の能力とはなんの関係もなく、決してクビにはならなかった。

もちろん公を守ることは重要である。公共ルールは守らないといけない。だが、会社の中の規則は慣習的なものが多く、意味を持たないものばかりだ。

あなたはまず、目先の慣習から打破していかないといけない。

将来、リーダーになりたいと思うなら、まず、自分の個性を磨かないと駄目なのだ。隣の男と同じで、リーダーになれるわけがない。秀でた才能と周囲が目をむく個性がないとリーダーにはなれない。

ネクタイを外す。

営業マンでも結婚指輪を外す。

生意気な女性社員を叱る。

昼休みにも仕事をしてみせる。

仕事は、あたえられるものをこなすのでなく、自分でどんどん創っていく。

石原慎太郎東京都知事は、ネクタイをしないで記者会見に現れる。

格好いいではないか。

少々差別主義的ではあるが、言う台詞は人の度肝を抜く痛快な言葉ばかり。個性が服を着て歩いているような男だ。だから、日本中の人たちから注目されて、オーラもある。そして仕事ができる。アイデアも豊富だ。カジノ建設計画を立てたり、ディーゼル車を規制したり、オリンピックを誘致したり、今までの都知事がサボっていたとしか思えない活躍ぶりだ。

石原都知事は、服装からして他の男と違うのだ。

もし、どうしてもネクタイを外せないなら、普通のサラリーマンが着ないようなブランド物のスーツを着てみればいい。

成功している人たちが〝没個性〟なんてことはない。

あなたは、会社内で札《ふだ》つきの〝ワル〟にならないといけない。ワルだが仕事ができる格好いい男。石原慎太郎のような男だ。

新しい商品は、自分の分身である。

あなたが慣習に染まっている没個性の男では、斬新な商品はできない。

周囲が目を見張るような個性を発揮すると、それに対する言葉があなたを包囲する。

その時の話し合いは、新しい言葉、アイデアを生み、この世にひとつしかないモノを作り出すのだ。

抽象的な話だが、分かると思う。個性はエネルギーを生むのだ。

あなたも、あなたのチームも同じことばかりを繰り返していないか。

毎日、九時ぴったりに出社して、同じ言葉を作り、昼休みは同じ店に行き、終業時間を気にしながら仕事をし、女性社員たちのいつもの世間話に馴れ合い、何が生まれてくるというのか。

優秀なチームは違う。慣習にも時間にも縛られていない。自由奔放なのだ。

その他大勢とは違う行動に出てほしい。

そのためには、まず、外見から変えることだ。

仕事、人生に「大義名分」を持て

世の中の役に立っていない仕事は、果たして存在するのだろうか。

仕事とは、誰かが喜んでくれたり、ありがたいと思ってくれたりするから成り立つものなのだ。

たとえば、私が嫌いな仕事に、車の誘導員がある。もちろん優秀な人もいるが、誘導員の指示どおり車を発進させたら、事故を起こしそうになったことが何度もあるからだ。

とくにデパートの誘導員は、車がデパートの駐車場から円滑に出るために誘導しているだけで、出た直後の交通状況など見ていない。デパートの敷地内での人身事故を防いでいるだけで、彼らの言うとおりに運転していたら、道路に出たところで車と衝突してしまうかもしれない。

まるで、差別しているみたいだが、私が、「喜んだ」ことも「ありがたい」と思ったこともないのだから仕方ない。

しかし、そんな誘導員も真冬の極寒の中、一日中動いているのだから（そこは偉いと思う）、自分の仕事が嫌で嫌で仕方ないわけはないだろう。

何か大義名分を持っているのだ。たとえば、「俺は車を誘導している。皆、俺の言うことを聞く。すごい仕事だ」と。

確かに、それはちょっとした快楽だと思う。

ヤクザの車も金持ちのベンツも、自分の指示どおり動くのだ。実はこの話は誘導員のアルバイトをしていた友人から聞いた。他人の車をコントロールするのは、かなりの快楽らしい。

■世の中の役に立たない仕事などない

あなたの仕事は世の中の役に立っている。

そう思わないといけない。

あなたの会社が、どこかの子会社だったとしよう。

一見すると、親会社の負担を軽くするためだけに働いているように思える。直接的には世の中の役に立っていないかもしれない。

だが、親会社の負担が軽くなる。親会社がしていることが世の中の役に立っているなら、それでいいのだ。

私のアシスタントは、私の仕事のフォローをしている。直接的には世の中の役に立っていないように見える。

だが、私の仕事が楽になって、私が円滑に動けるようになると、私の本を書くスピードは速くなり、多くの読者や出版社に喜ばれるのだ。

そう。**どんな仕事をしていようと、あなたの仕事がまったく世の中と関わっていないことはありえないのである。**

風俗で働いている女性について、フェミニズムで語れば、「買う男がいるから悪い」となるだろう。しかし、男の性欲は、いつ何時でもすべての女性に慰められるわけではなく、童貞のまま死ぬわけにもいかず、そういう男は風俗で慰めてもらうしかないのだ。

金で解決する他ないというわけだが、通貨制度の中で生きている以上、金で解決するのがすべて悪とはかぎらない。

つまり、風俗の仕事をしている女性は、たくさんの男たちを救っているわけで、彼女たちは、それをよく知っている。

無論、なかには例外もいて、病的にその仕事が好きな女性もいるし、金のためにやっている女もいるだろう。

だが、自分の仕事を百パーセント嫌悪できる人間はいない。

借金を返すために、風俗で働いている女性も、ほんの刹那《せつな》、「ああ、彼女のいない男の人が喜んでくれてよかった」と思う時があるのだ。悲しい女と寂しい男が体を合わせた瞬間にだけ分かる気持ちである。そこに、フェミニストが理屈の横やりを入れるなということだ。

そんなフェミニストの団体だって、決して邪魔なだけではない。

実際に、セクハラが存在する企業もあるし、男尊女卑のひどい企業もある。そんな、男たちに泣かされている女性を救わなければいけないだろう。

あなたがしている仕事は、誰かが喜んでくれている。
今やっている仕事に、そして、あなたの人生にも「大義名分」を持つべきなのだ。
間接的で分からなくても、無駄な仕事はそうそうあるものではない。
頑張ってほしい。

3章

一流と二流を決める分岐点――「才能」

「自分の才能」をどこまで信じているか？

才能の有無はどこで決まるのか

自分に才能があるかないか分からない人は多いと思う。

しかし、才能のあるなしは自分で判断するものではない。他人に認めてもらわなければならないのだ。

私は、会社に勤めていた頃に、文章、写真、競馬、すべてが同僚から注目された。小説を書いて持って行ったら、女性社員たちが回し読みをしてくれたし、皆で遊びに行った時に、彼女たちを撮影してあげたら、その写真を絶賛されたし、競馬を毎週のように当てていたら、社内で噂になったりした。とにかく目立つ男だった。

それが自信になったのだ。とくに写真は、見た目の評価だけに、「俺にはポートレートの才能があるかもしれない」と、有頂天になったものだ。

実際にその後、撮影会で撮った写真をプロの人に見てもらったところ、「君は文章なんかやめて、プロのカメラマンになれ」と言われた。それで、調子に乗って、女性騎手写真集を出したりしたものだが、その自信は、注目されたからこそ生まれたものだ。女性社員たちに喜ばれなかったら、プロのところに作品を持っていくこともなかっただろう。

私のやってきた〝事実〟には説得力があると思う。

今となっては、啓発本、競馬本のベストセラーを出し、写真集を出版しているのだ。文章も写真も競馬も、すべてプロとして認められている。だが、プロになったのは、コネでなったわけでも強引になったわけでもなく、才能を認められてのこと。それもこれもあの時、同僚たちに絶賛されたからできたことなのだ。

つまり**才能とは、他人から導かれて、引き出されるものなのだ。**

どんなに社会的に役立つ才能を持っていても、遠くの島で一人暮らしをしていたのでは、その才能は埋もれたままだし、親が仰天するような稀有《けう》な天才でないかぎり、自分すらも気づかない。なんとなく自分では、できそうな気がしていても、他人に見せるのが怖くて、引き出されないまま人生を終える。

もったいない。

この世で成功者と呼ばれるわずかな人々は、皆、自分の才能を開花させているのだ。

もちろん、なかには才能もないのに事業を起こし、どうにもならない人もいる。

そういう人は決まって、誰にも注目、評価されていないのに、無理をしている。

サラリーマンをしていて、芸もなく、卓越した言葉、理論も持っておらず、なのに、突然独立して事業を起こしても、リスクが大きすぎる。

しかし、たとえば、

「○○さんは、女性をほめるのがすごく上手ですね」

と、よく言われるようなら、タレント事務所でも開業すればいい。

ファッションセンスが抜群でそれを誰かにほめられるのなら、ブティックを開いて、オリジナルデザインの洋服や小物を販売する。

自分がやりたいことが見つからなかったら、他人にほめられた部分に、自分で注目して、それに懸けてみればいい。

車の運転がすごく上手くて、地図を読む能力に長けていたら、プロのドライバーを目指してみてもいい。もちろん、個人タクシーでも長距離ドライバーでもいいのだ。

タクシー業界は、今、実力勝負の世界になっている。優秀なタクシー運転手が高い収入を得る一方、無能な運転手は、六畳のアパート住まいである。個人でやるなら、少し高級な車を使うのがいい。タクシーは、ボロい車に、高い運賃が問題なのだ。日本人が好きなトヨタの高級車で、運転も上手だったら、金持ちの顧客がつくかもしれない。

私の「天才論」

また、天才について述べたい。

天才、あるいは優れた才能を持っている人は、次のような点で優れている。あなたには当てはまる項目があるか。

一、集中力がハンパじゃない。
二、独学でやってしまう。

三、自己中心的（わがまま）に行動するが、相手を諦めさせてしまう力を持っている。

四、何かしら心に〝傷〟を持っている。

一、普通の人が一日かけてやる仕事を、一時間、二時間で集中してやってしまう。その間は、誰かに声をかけられても集中力を切らさない。

もし、そういう力があれば、それを仕事に活用して能力を発揮してほしい。必ず開花する。

二、専門的な学校などに行かずとも、その技術を覚え、自分の世界を創ってしまう。誰に習ったわけでもないのに、グラフィックデザインができるとか、文章が書けるとか、写真が得意だとか、そういう才能をほうっておいたら駄目だ。

皆、必死に勉強しているのに、そうしなくても、あなたはできてしまうのだ。これはすごい才能だ。

三、自己中心的な行動をしても、妻や部下、親などが許してくれる。浮気しても喧嘩をしても気にしない。悪びれた様子もなく、なぜか堂々としている。そういう男は大物感を漂わせているもので、他人は文句が言えなくなる。才能同士がぶつかることはあるが（たとえば、妻や恋人も天才肌の人間だったら、衝突する）、一般の人は天才の行動には畏敬の念を抱いてしまうものだ。

四、強いトラウマをいくつも持っていたり、心身症などの持病がある。または、大きな病気をした経験がある。

三島由紀夫のように生まれた時から天才という人間を除いては、才能は病によって開花する。大病を患ったり、持病の苦痛が長年続いたりした時に、人はこれまでにないほど頭を使うからだ。

とくに心の病を持っている人は、健康な人の何十倍も考えている。

あなたは健康な時は何も考えていないはずだ。体の調子がいいと、より楽しくなることへと進むからだ。

「楽」とは脳を休ませる行為である。人は健康であればあるほど、脳を休ませ、体の快楽を求める。何度もセックスをしたり、スカッとするスポーツをしたりする。そして熟睡もできる。

一方、心の病のある人はどうか。

体がろくに休まらない分、脳は常に働いている。その間、様々なことを考え、マイナス思考となり、鬱へと突入する。しかし、そこから這い上がるために、強烈なアイデアを生み出すのだ。そのアイデアが、たとえば芸術的なものだったり、新しい仕事の形だったりする。

病気をしても悲観してはいけない。

その苦痛の中で、様々なことを考え、才能を開花させてほしい。

こんな会社に忠誠など誓うな!

あなたが期待しなければいけないのは〝己〟である。
自分の行動力、すなわち才能に期待して生きないといけない。
会社に傾倒していても、明日は来ない。

会社に見返りを求める時代は終わっている。自分の力が重要なのだ。独立心がないといけない。たとえどんな会社にいても、その中で際立った個性を発揮し、いつでも独り立ちできるような精神を構築していないといけない。

会社が駄目になっていくかどうかはどうやって見抜けばいいのか。

いい、退廃的快楽を貪り始めたら、その会社は終わりが近いと思っていい。一昔前のバブルの時代は、日本中がそうだった。

会社の衰えにも気づかず、快楽を求め続けていた。まるでローマ時代の末期である。どこから出た金か分からないが、手元にある大金で高級料理店に行き、クラブで飲む。女を手当たりしだいに抱いて、金をばらまく。

あなたが大手企業に勤めていたら、銀座界隈のホテルで、こういう情景が見られるだろう。そう、今でも。あなたの会社の重役が遊んでいるのだ。純利益を消費すれば国は潤うが、負債を抱えた会社が同じことをしていたら、破滅である。

あなたの会社の上役もクラブで飲んで、会社名義の領収書を切っていないか。

彼らは、しょせんバブル時代の甘えが抜け切らない無責任な人間なのだ。

物事を大局的に観察する能力がなく（現状を認識していない。もしくは、どうでもいいと思っている）、攻撃的に行動する力量もない。

〝父性〟を喪失した男たちは、苦労も知らずに出世し、バブルで遊び、身も心も汚れきっている。とくに団塊世代の男たちはどうにもならないほど、腐っていた。〝サディズム〟に大切な〝威厳〟の欠片《かけら》もなかった。

彼らの下で働く必要はない。

独立をしないといけない。

■この〝威厳〟があれば人はついてくる

あなたが会社を立ち上げて、あなたの〝威厳〟で勝負すれば、その会社は不況とは関係なく動く。あなた自身に技術がなくても、威厳があれば、技術者はついてくる。だから、サディストでなければいけない。

昔、私の知り合いの社長に、「社長は優しくて、怖くないです」と女性社員に言われて喜んでいるバカがいた。

そう言って社長をほめた(?)女性社員たちは半年で退社していく。それからまた違う女性社員が入ってくるだろうが、それでは会社はいっこうに上昇しない。

マゾヒストでは誰もついてこないのだ。

なぜなら、マゾは〝分かりやすい〟からだ。

サディストの男には「すべてを晒《さら》さない」という美学がある。セックスにおいても、こちらが主導だから、女は何をされるか分からない。

一方、マゾは受動であるから、相手任せ。してほしいことをすべて口にするから、相手に見透かされてしまう。

金が欲しいと、お金のある男には頭を下げて、べったり離れない。金のない男には露骨に嫌な顔を見せる。

しかし、その男に才能があれば、いずれは金持ちになる。そこを見抜けないから、駄目なのである。

昔、私の知人で、金持ちの若い社長を見つけると、彼らに取り入ろうとする〝マゾ男〟がいた。自分よりも年下のお坊ちゃま社長に命令されて、東京中を走り回っていた。

私が、そのお坊ちゃま社長と喧嘩をし、縁を切った時、彼の態度は一変した。

それまでは、「里中さん、一緒に仕事をしようよ」と、擦り寄ってきたのに、私との連絡をいっさい断ったのだ。

しかし、今では、私のほうが裕福なばかりでなく、彼がすがっていた会社は、電話帳を探しても見つからない。倒産したのだろう。恐ろしい話ではないか。

あなたも、他人任せで生きていると、こうなってしまうから、注意したほうがいい。

まとめよう。

まずは、〝信頼できる自分〟を創り上げること。
組織や会社に頼らないこと。
あなたの会社の重役は、退廃的快楽を楽しむ、無責任男かもしれない。
威厳があれば、技術がなくても人はついてくる。
独立心を持つことが、これからの時代を生きる上での常識だ。

自分が決めた仕事にプライドを持て！

苦労人をバカにする人がいる。

「才能がない人は華やかさに欠ける」と言う人もいれば、「才能のない奴は苦労しても無駄だ」とばっさり切り捨てる人もいる。

そのとおりかもしれない。しれないが、天才肌の人に言われると悔しいものだ。

二十代で文学賞を取った男が似たようなことを言っていたが、二十代の頃、どうあがいても作家になれなかった私は、その男を羨んでいたものだ。

だから、私は、今仕事が成功しないで苦労している人に、「おまえは才能がないから、無駄なことはするな。貧乏で我慢しろ」なんて言わない。

まず、論点を〝才能開花とは何か〟という方向にずらさせてもらう。才能を開花させるということは、華やかになることではない。自分に合った仕事を見つけることだ。

それが給料の安い仕事でも、自分に合っていて、やり甲斐を持っていたら、あなたはその仕事に才能を使っているのである。

時代が変われば、その仕事の価値が上がり、所得も上がるかもしれない。今の時代では華もなく給料は安いかもしれないが、明日はどうなるか分からない。

だから、自分が好きな仕事を、「儲からないから」と蔑んではいけない。

自分が決めた、自分が好きな仕事にはプライドを持て。

「黒子」という存在があるように、華がある人には陰で支えている人間が必ずいる。だから、才能を開花させ、金持ちになったからと言って、「才能のない奴は駄目だ」「貧乏は死ね」とか口にする男は、傲慢でどうしようもない人間なのだ。

苦労知らずの作家が書いた快楽論を読んでいたら、「黒子」を無視した発言が目立つ。確かに私も、禁欲主義を軽蔑し、快楽主義になれと説いているが、私が軽蔑しているのは、快楽主義から目を背けて、自ら禁欲的になり、才能を開花させることはもちろん、成功しようという意欲をなくした男なのだ。

「黒子」は別に快楽主義を放棄しているわけではないし、黒子として成功しようとしている。

それに気づかない傲慢な人間の話には、耳を傾けないようにしたい。

■自分の才能を叩き上げよ

では、己の持てる力をどうやって発揮していくのか。

叩き上げるしかない。


いきなり華やかな舞台に立つ人間は、運が強いだけなのだ。ものすごい強運を持っているのである。生まれついての強運だ。

ビートルズだって、ジョン・レノンとポール・マッカートニーが奇跡的に出会ったからこそ、その才能が花開いた。

芸能人なんか、ほとんど運である。顔が良ければ、あとは、プロデューサーの目に止まるか止まらないか、それがもっとも重要だ。

新人賞を取る作家もだ。どんなに優れた小説を書いても、編集者が気がつかなかったら、ただのゴミになる。

それで、その人は才能がなかったと言えるのか。

違う。運がなかっただけなのだ。

「運も実力のうちだ」という意味不明の言葉を私は認めない。

だから、運がなかなか向いてこない人は、その間、自分の才能を磨かなければいけない。

私だってそうだった。

自慢じゃないが、私は今「天才」と言われている。どんなジャンルの本を書いてもベストセラーにし、写真もやりこなし、競馬ファンクラブも自分の力で大きくした。

しかし、その才能が開花したのは、三十三歳を過ぎてからなのだ。この遅咲きに少し疲れている私は、「里中さんは天才肌の男ですね」とほめられても、「天才なら、もっと早く出世してます。僕は凡庸な人間ですよ」と投げやりに返してしまうほどだ。

それほど、下積み時代というのが長く、途方に暮れていた。

だが、結論から先に言うと、もし、あなたに才能があれば、叩き上げることによって、それは必ず開花する。

私が見本である。

十七歳の時か。私は不治の病と言われる心臓神経症になった。心臓に疾患がないのに、心臓発作や呼吸困難など、心臓病とまったく同じ症状が出る厄介な病気で、スポーツ禁止はもちろん、重症になると睡眠もろくにとれなくなるのだ。

私はかなり重症だった。

外を歩くこともできなくなり、部屋にこもっていた。

高校は中退。

親は嘆き、親戚は私の話をしなくなった。

なんとかしようと、東京に這いつくばって出てきて、薬を飲みながら生活していた。電気を止められ、水道を止められ、大好きなロックアルバムも本も全部売ってしまい、その金を競馬に注ぎ込んで、なんとか生きていた。

病気が悪化した時は、さすがに親に泣きついたが（死ぬのが怖かった）、私は二十代の大半をそのように過ごしていたのだ。

だが、売らなかったものがひとつだけあった。

ワープロだ。

毎日のようにワープロで文章を書いていたのだ。小説、詩、エッセイ、手紙。心臓が苦しくて苦しくて、息ができないほどだったのに、私は文章を書き続けていた。

新人賞は強運が必要。私にはそれがなかったから、出版社に潜り込むしかなかった。

そして、「ギャンブルに詳しいライターを探している」と聞いたのが、三十二歳のときだったか。もう、状況とか時間とか正確に記憶していない。忘れたくて記憶喪失になっている。

その出版社の雑誌に書いた文章がよかったのだ。個人的にコラムを持たせてもらえるようになり、それから私は急激に躍進した。

それはなぜか。

ずっと叩き上げてきたからだ。

十年以上、独学で勉強していたのだ。その文章が認められた。まさに才能開花である。

信念を簡単に曲げるな

だから、一年や二年で、「駄目だった」と口にする若い男を見ると、思わず怒鳴ってしまう。

「おまえは、まだ二十五歳だろ！」

と。

今、私は四十六歳になったが、ベストセラーの本を何冊も出し、一戸建ての家も建てた。

文章の次にやりたかった写真も仕事にして、大好きな競馬でも儲けている。

昔は、「正月に帰ってこい」とあまり言わなかった親も、今では毎月のように「顔が見たい」と言うし、親戚の人たちは大騒ぎである。

私の田舎は三重県の伊賀市だが（学校は別の町）、子供の頃は同年代の仲間と比べても、一、二を争う落ちこぼれだった。

だが、今では出世頭かもしれない。

うらやましいだろうか。

自慢話に聞こえるだろうか。

そうじゃないのだ。

こういう才能の開花のさせ方もあって、叩き上げることがどんなに大切か、皆さんに知ってもらいたかっただけだ。

こんな、絵に描いたような逆転劇が本当に起こりうるのである。そして、人生、何が起こるか分からないから諦めるな、ということだ。

もし、たとえ好きな仕事ができなくても、自分の信念を曲げず、自分の才能を信じ、生きていたら後悔しないのだ。

私は、二十代の半ばに、一度就職をした。アルバイト先で能力を買われ、嘱託社員になった。学歴がないのに実力を買ってもらったのだ。悪い気はしない。給料もけっこうもらっていた。

しかし、私はその会社を辞めた。「文章を書く時間がないから」と、私は当時の恋人に説明し、出直したのだ。

就職して作家の夢を捨てると、人生に悔いが残ると思ったからだ。

妥協した人生を送るくらいなら、死んだほうがマシだと思った。

あなたは、仕事の夢をつかむために、私と同じくらい強く決意し、頑張っているか。

何もせずに、「俺には才能がない」と言っていないか。

あるいは、「運がない」と。

確かにあなたには運がないのかもしれない。だが、「才能」は自分で磨き上げることができる。

華やかな舞台を目指す才能も、黒子を目指す才能も同じ気高い才能。

自分に恥じることなく、人生を歩んでほしい。

男にとって〝マンネリ〟は大敵である

マンネリを克服できるかできないかは「才能」にかかっている。

よくある啓発本で、「初心を忘れるな」とか、「作家やプロスポーツ選手が一年目に大活躍すると、二年目に駄目になるのは、安心して努力を怠るからだ」などと書かれているが、そんなことはほとんどない。

類い稀な才能があり、アイデアが常に豊富にある人間には、二年目のジンクスなどない。二年目に駄目になる人間には、はなから才能がないだけなのだ。

どんな人間でも、まるでバカじゃないかぎり、ひとつくらいアイデアを生むことができる。

しかし、二つ、三つ、いや、もっともっとアイデアを生み出そうとすれば、努力だけではどうにもならないのだ。ビートルズのように、次から次へと新しいものを生み出す才能がないといけない。

一発目が上手くいっても、決して驕《おご》っては駄目だ。

私はいつも、「俺には才能がない」と思っている。

物書きとしても、競馬の世界でも成功し、「天才」などと言われることもあるが、それを否定し、「自分は凡庸だから、なんとかしないといけない」と思いながら仕事をしている。

その甲斐あって、私は少しだけマンネリを克服できている。

『「かわいい女」63のルール』という本をベストセラーにしたら、他の出版社から、「〝かわいい女〟という冠をつけた女性向けの本を書いてくださいよ」と何度か言われた。確かにそのタイトルをつければ、また売れるだろうが、私の答えは「ＮＯ」。

目先の利益のために同じ冠を使い続け、しかもどの出版社でも同じような作品を書いていたら、マンネリになってしまう。

もし、私が自分を「天才だ」と思い、有頂天になっていたらどうか。自分の仕事がマンネリ化していることにさえ気づかず、そのうち周囲から見放されてしまっていただろう。

世の中には「一発屋」が数多くいるが、彼らは、何か一つ売れただけで、舞い上がってしまうのだ。

「マンネリ克服法」についてのまとめはこうだ。

一、マンネリを克服することほど困難なものはない。
二、一発目が上手くいっても、有頂天になってはいけない。
三、自分に才能があるかないか、常に自問自答する。
四、最初に成功したアイデアにいつまでも頼らない。

以上だ。

厳しい話だったが、優しく語って、勘違いされても困る。

4章

男の器量はお金の使い方でわかる!

一流と二流を決める分岐点――「財力」

「快楽」を求めずして成功なし

あなたは、日本という先進国に生まれてきた男だ。

快適な生活を得るために、快楽主義にならなければいけない。

確かに、清貧な生活には美徳的な空気があり、それを私は全面的に否定し、侮辱しているわけではない。

たとえば、美しい女性をいきなり贅沢な生活の中に置くよりも、清貧漂う背景に溶け込ませたほうが、より美しくなるものだ。

学生服が似合う少女を高級ホテルで撮影しても絵にならないことは、カメラマンでもある私はよく知っている。

食べ物も、都会で食べる肉より、海で獲れたばかりの魚のほうが美味しいし、体にもいい。清らかに暮らせるものなら、そうしたほうが気は楽かもしれない。

だが、清貧になることはいつでも可能だ。海で魚を釣ることも、女を田舎の安い民宿に連れて行くことも簡単だ。

逆に、快適になるには力がいる。金がいる。いつでも簡単にできるものではない。年老いてからでは、遅いのだ。

女だって辛い。ずっと貧乏で我慢している女がいたら、それは少女のままの心を持っているか、神経症を発症しているかのどちらかだ。

前者ならあなたは幸せだが、後者なら、女を病気にしたあなたは罪を犯していると言っても過言ではなくなる。

だから、目指さないといけないのは快適な快楽主義のほうだ。自分の快楽も大切だが、愛する女も守らなければいけない。

快楽主義が生む強烈なモチベーション

私が言う〝サディズム〟とは悪徳のことではない。

快楽と威厳のことだ。

人は快楽を得るために快適を求め、仕事をする。あるいは働く。
その国でもっとも快適な場所に、愉快な快楽が落ちているのだ。

日本の都会なら、不快な場所は臭い川の近くの家だろうか。通りの騒音が部屋を突き抜け、冷暖房の効かない部屋はカビ臭い。いつ、泥棒が入ってくるか分からない壊れた玄関。もっとも、そんな汚い家に泥棒は入ってこないが、妻が若くて美しければ変質者は入ってくるだろう。

快適な場所は高級マンション。汚い川も、高層マンションのベランダから眺めればまともな川に見え、騒音は厚いガラスと壁が遮る。冷暖房完備。オートロックはもちろん、管理人もいて、警備会社との提携も万全。犯罪者を恐れなくてよい。

セックスの射精の快楽は、どこでどうしようと同じだ。しかし、気分によってその度合いは変わる。

真夏に、冷房のない部屋で、蚊に刺されながらセックスをしている貧乏な夫婦は、どんなに素晴らしいエクスタシーを得ても、真の快楽は得られない。

なぜなら、その夫婦は、日本には、もっともっと快適な暮らしがあることを知ってしまっているからだ。

高価なエアコンが売られていることはもちろん、蚊が入ってこない高級マンションがあることも知っている。

だから、心の隅に〝敗北感〟があり、満たされない。貧乏を好む特殊な性格の人間以外は、神経症になったり、犯罪者になったりする。

想像してみよう。

あなたのセックスは快適な条件に満たされている。

都会にありながら、部屋には騒音がいっさい入ってこず、高級ホテルと同じように完璧な空調だ。大型テレビは、好きな映画を流そうが、いやらしいAVを流そうが自由。手を伸ばすと、年代物のワインが飲めて、ほのかに酔った女の裸体は若くて美しい。翌日は休日。時間はゆっくり流れ、セックスのアイデアも生まれる。汗をかいても、シャワーですぐに流すことができる。あなたのセックスを不快にするものは何もない。

そう。人は、快適を手に入れるために働くのだ。

日本での快適は上流社会に近づくことである。『北の国から』を目指すことではない。

脱都会主義だと、田舎での暮らしを求める人でも、実は快適な生活を送っている。セックスする部屋が虫だらけで、牛の臭いがするなんてことはない。日本人だから、田舎に住んでいても、〝日本で優雅に生活するという快適〟を捨てることはできないのだ。

住み始めた時は、隙間風が多かった家も、一年、二年と経ってくると、快適を求め、都会の家と変わらなくなる。たとえ牛や馬を飼っていても、彼らの部屋は〝冷暖房完備〟になるのだ。よくある作家の田舎暮らしなどがそうだ。

大自然の中で暮らす自分に酔っている快楽主義者なのだ。「贅沢などしていない」と言うかもしれないが、都会のどぶ川の横に暮らしている人よりも、はるかに快適な生活をしている。

先進国の快楽は、快適な部屋とイコールで、不快な場所では得られない。

それを分かっている人は、〝快楽主義〟になる。

金があれば使う。

女がいれば抱く。無論、高級ホテルで抱くのだ。

欲しい車は必ず手に入れる。

快楽主義者の周囲には、欲望がもたらしたモノが溢れ、精神主義者の非難を浴びる。いや、正確には、彼ら精神主義者は大きな声では批判しない。陰でこそこそ悪口を言うだけである。

なぜなら、彼らは〝敗者〟だからだ。快適な生活を手に入れる才能がない者は、それを肯定できなくて、〝禁欲主義〟に走る。そして快楽主義を〝悪徳〟だと言う。

快楽主義は男のロマンだ。

快楽主義を掲げる男は常に前向きであり、野心があり、貪欲で、そして寛大だ。

知り合いが先に〝快楽〟を手に入れれば、「俺も頑張る」と思う。

一方、禁欲主義者、精神主義者は違う。身近な人が〝快楽〟を手にすると、それを批判する。卑小な人間になってしまうのだ。

「俺はなんのために仕事をしているんだろう」

そう思い悩むことも時期的にあろう。

答えは簡単で、「快適になるため」、あるいは、「快適を維持するため」、そして、「快楽を得るため」なのだ。

だから、それを否定する敵は威厳を持って倒せ。

快楽主義者は何者にも屈しない。

寛大な我々には、利口を装っている敵を論破する余裕もある。

私のこのごく当たり前の理論が、あなたを啓蒙し、あなたを明日の仕事に導けば幸いである。

金は使いながら貯めるものだ

「年金」「年金」と国はうるさい。

年金は、老後に家でぼけっと暮らす男には食い扶持になろうが、我々のように、最後まで男でいる人間にはおまけのようなものだ。

なのに、国は、年金保険料を引き上げるつもりでいる。それで、我々が、老後に多額の年金をもらえるなら文句はないが、少子化が進み、就労人口が減れば、年金は確実に減らされてしまう。

消費税をアップして年金に割り当てる策もあるが、選挙でのイメージを悪くするから、思い切った消費税アップはなかなかできない。

だが、ここで、「年金を払うな」と叫んで、国と喧嘩をするつもりはない。私が言いたいのは、「年金だけではなんにもできないよ」ということだ。

たとえば六十五歳で定年退職したとする。

まだまだゴルフくらい行ける年齢だ。しかし、わずかな額の年金では、経済的に難しいだろう。日本のゴルフは異常に高いからだ。あなたの人生がゴルフだけならばいいが、妻がいるし、食事もしないといけない。酒が好きなら酒も飲む。付き合いもあるだろうし、物欲もあるだろう。家を持っていたら、金のない年寄りからでも税金を奪っていく。電化製品は年に一個ずつ壊れていく。旅行にも行きたいと思う。

それを年金で賄《まかな》えるだろうか。

無理だ。

絶対に無理である。

じゃあ、老後というのは、家でじっとしてろ、と言わんばかりの話ではないか。老後には、世界遺産を見て回る世界旅行でもしてほしいものだ。それは年金では無理なのである。

私の父親は、すでに年金暮らしだが、趣味はゴルフと酒で、ずいぶんと苦労している。ゴルフも酒も預金プラス年金で可能といえば可能だが、ゴルフクラブが古くなった時には、私が買ってあげたし、実家に帰るたびに、お小遣いを渡しておく。

こちらも遊んで暮らせるほど余裕のある生活ではないので、親に毎月大金は仕送りできない。

だけど、できる範囲で金銭的な面倒を見ている。それは、私がやや多めの収入を得ているからできることであって、あなたの息子が将来一介のサラリーマンになった場合、とうてい親の老後の金銭的な面倒は見てくれない。

国を頼りにしていると裏切られる

我々に必要なものは〝財〟である。

自分の財産を築かないことには、楽しい老後は送れない。


今から年金を支払った上で、退職後に貯金が三千万円以上あったとしよう。

生活費や固定資産税は年金で、趣味や突然の出費は貯金で賄えば、八十歳まで遊べるはずだ。

別の項では、貯金を否定する内容の話も出てくるが、ケチケチするなという意味であって、貯金は必要である。

金を有効に使いつつ、貯金をしていく。

理想だが、できないことはない。

金持ちと呼ばれる中流以上の人間たちは、お金を使いながら、財産を得ている。彼らは、百万円あったら、八十万円を使い、二十万円を貯金や株などの軍資金に回す。

しかし、一介のサラリーマンは三十万円あったら、そのまま使ってしまう。使わざるを得ない生活なのだから仕方がない。

だから、自立してほしいのである。

先の見えない会社から、決まったわずかな給料だけをもらう生活ではなく、将来、大成功するかもしれない事業を起こし、〝勝負〟に出るのである。

それに失敗したら、年金の世話になって、老後のゴルフは我慢するしかない。

しかし、成功すれば、あなたは死ぬまで男の趣味を満喫できる。セミリタイアをし、一年の半分は海外で暮らすという生活だってできるのだ。

私は作家という仕事であり、この先どうなるかは分からない。

しかし、自分との闘いだから、何事もコントロール可能で、誰にも縛られない。

とりあえず今は順調で、百万円の収入があれば、八十万円を使い、二十万円を貯金している。

もし、もっと成功して、一千万円あったら？　そう、八百万円を使い、二百万円を貯金する。六十五歳までに、三千万円残しておくくらい簡単だろう。

今、あなたの年収は五百万円くらいかもしれない。それを一千万円にするくらい、頑張れば可能だと私は思っている。

簡単に言うな、と叱られるかもしれないが、常に〝死〟をも見つめてきた私から見れば、会社に頼っているサラリーマンの姿は、甘えているようにしか見えない。

あなたはまだ若い。年金を心配していると考え方も生き方も老け込む。年金に頼らない精神を構築するために〝勝負〟に出てほしい。出られなくても計画くらいなら立てられるはずだ。

それだけでも、自分に自信が持てる。

男は死ぬまで、自分の力で孤独に生きないといけない。誰かに依存すると格好悪くなるだけである。

とくに息子。老後の世話をしてもらおうと期待しているだけで、老け込んでしまい、父親の威厳をも失う。
国を頼りにしていると裏切られる。
「財」を築け。
そうしなければ、楽しい老後は送れない。

所得が少ない時はどう切り抜けるか

所得が少ないといっても、まったくないのでは話にならない。

無職の人を相手に話すなら、「女のヒモになれ」とか、ギャンブルの上手なやり方を説くしかなく、私はそちらの方面も経験があるが、ここでは、年収が三百万円前後のサラリーマンの問題をつきつめたい。

あなたは今の収入に満足しているだろうか。

「もっと金があれば」と考えているかもしれない。

所得が少ない時期は、自分を浄化させる最大のチャンスなのだ。

あなたは食事で、余計なカロリーを摂っていないか。

ところで、あなたの趣味は、少し多すぎないか。

あなたの恋人は、我儘《わがまま》じゃないか。

まず食事だが、私が生涯もっともお金をかけていないものだ。

暴飲暴食はしない。高カロリーの食事はしない。お菓子もほとんど食べない。満腹を避け、空腹の快楽を楽しんでいる。

空腹になる快楽を知っているだろうか。

粗食メニューを食したら、すぐに空腹感が出てくる。胃がもたれるような不快感は皆無で、上手に消化した感覚が心地よい。空腹をしばらく我慢して、途中、水分を摂ると、それが体中に染み込んでいく感覚も得られる。

暴飲暴食をしていると、常に内臓が働いていて、休む間がない。胃だけが働いていると思ったら大間違いで、肝臓も腎臓もすい臓も心臓も働いている。結果、内臓の老化が早まる。

一方、腹八分目、粗食をしていたら、金がかからないばかりか、体も浄化され、心身が健康になる。

そもそも、年収が少ないのにヘビースモーカーだったり、酒好きだったりでは贅沢というもの。金もないのに、レギュラーガソリンの車ではなくハイオクガソリンの車に乗っているようなものだ。

私も収入が少なかった頃には、ホンダの安い車に乗っていて、レギュラーガソリンだった。

食事のほうは、年収が増えた今でも穀物中心で、高い料理店に行くのは月に一度とデートの時だけと決めている。

しかも、私は我儘な女とは絶対に付き合わないから、安い店でも美味しければ、女は文句を言わない。

金がかかる趣味とはいったん手を切れ

女が我儘だと話にならない。

男に金もないのに、宝石をねだったりする。しかも最近は女のほうが煙草を吸う。同棲している女が煙草を吸う上に、ケーキを食べながらダイエット食品を買い漁っていたら破産である。

そういうダメ女と付き合っていないか。質素な女性を恋人にしないと、お金は少しずつ消えていってしまう。別の項では金のかかる女をモノにしろと書いているが、それはある程度の金を使える財力ができてからの話である。貧乏なのに、金のかかる女（しかも無駄遣いばかり）では破滅する。

趣味が多すぎるのもいけない。

お金がない時は、趣味はやめないといけない。

誤解しないでほしい。趣味はお金がかかるから、重要なのだ。「この趣味を楽しむために働こう」というモチベーションにつながるからだ。

だが、どんなに働いても三百万円以上にならない現状で、趣味がゴルフとか車とか旅行では、話にならない。

私の最大の趣味はロック鑑賞だった。親と一緒に暮らしていた頃には、月に何十枚とアルバムを買い、コンサートにも足繁く通っていた。しかし一人暮らしを始めて、しばらくそれを続けていたら、お金がいっぺんになくなってしまい、コレクションのアルバムをすべて売るはめになってしまった。

そこで、いったんロックの趣味をやめた。二十二歳から二十五歳くらいの間だ。ビルボード誌のヒットチャートも見なくなり苦痛だったが、売ったアルバムは将来取り戻そうと決意して、それが発奮材料となった。

スポーツはゴルフをしていたが、コースに出るのはやめて、練習場だけにした。ゴルフをしていると、新型のクラブがすぐに欲しくなるが、それも我慢して、ずっと父親からもらったパーシモンのドライバーを使っていた。

趣味の我慢は、とくに若いうちに大いにやってもらいたい。それは必ず、「俺はまた趣味を取り戻すんだ」というエネルギーにつながる。

友人から借金だけは絶対にしてはいけない

最後に、収入が少ない時に絶対してはいけないことを書いておこう。

まず、友人に金を借りること。

その友人に引け目を感じながら一生を送らないといけなくなる。一生、その友人の上に立てないのだ。たとえその友人より出世しても、あなたはその友人に勝てない。

すぐに金を返さないと、友情にもヒビが入る。

私も付き合いの長い友人が失業した時に頼まれて金を貸したことがあるが、その友人とはもう疎遠になってしまった。毎月のように無心をしてきて、働く気配を見せないから、こちらから縁を切った。金は戻ってこない。

もうひとつは、宝くじを買うこと。

安い買い物だと思って発売されるたびに買っていたら、けっこうな額になってしまう。しかも当たらないのだから、無駄遣いとしか言えない。

人間的にも後退してしまう。「宝くじが当たったらどうしようか」と、無駄な妄想ばかりしてしまい、働く気力をなくすのだ。そして、外れるたびに、無気力になってしまう。万が一当たったら？　当たりません。

仕事ができない奴にかぎって、宝くじを買い漁っているものだ。宝くじを買うには、納税書の提示が必要なシステムにしてほしい。どうも宝くじ当選者の話を読んでいると、ろくに働いていない奴が多いようで（いわゆる宝くじマニア）、世の中に、ダメ人間を増やしているだけのような気がしてならない。

収入が少ない時はじっと我慢していること。

しかし、一生、その収入で終えるつもりは毛頭ないという覚悟をもって、エネルギーを蓄えていることだ。

最初に年収三百万前後と書いたが、年収三百万円あれば、なんとかやっていけるだろう。私が書いたことは、年収二百万円にまで落ち込んだら実行すればいい。

たとえ今は十分な収入を得ていなくても、上を目指している限り負けではない。むしろ、本当に負けているのは、卑屈になっている人間、成功を諦めた人間だ。

大金を動かす緊張感は「男の器」を大きくする

サラリーマンたちが、「しょせんサラリーマン」とバカにされ、独立して事業を起こした人たちに比べて、軽視されるのはなぜか。

才能のあるなしだろうか。いや、サラリーマン、イコール無能というわけではない。サラリーマンの中にも立派な能力を持った技術者や開発者、指導者がいる。

私も、毎日通勤電車に乗って、過労死するまで働いているサラリーマンをバカにはしていない。私にはそんなことができないから、サラリーマンだった父親は尊敬している。

しかし、サラリーマンには〝大物感〟がないのである。

ノーベル賞を受賞した田中耕一氏（島津製作所）も正直言うと、器の大きな男には見えなかった。一見してサラリーマンそのものなのだ。テレビを見ていて、ため息が出てしまった。

サラリーマンの欠点はただひとつ。

大金を動かせないことだ。まとまった金を動かせないのである。

会社から給料をもらい、それをやりくりしながら生活している。

しかし、**事業を起こした独立者たちは、自分の会社の経営のために、何百万、何千万、ときには何億という大金を動かしている。それが男の〝器〟の違いになって表れるのだ。**

ＩＴ企業の社長たちを見れば分かる。彼らが善人か悪人かはともかく、大物なのは確かだ。

大金を動かすには、ものすごい緊張と決意が必要だ。

独立者たちは、毎月、そんなプレッシャーと闘っている。

サラリーマンは会社からもらう給料で、何と闘うというのだろうか。せいぜい怖い妻と闘うくらいだ。

そんなレベルの低い闘いでは男は磨かれない。

最近、私の年収は二千万円以上あるが、取材費や撮影費、人件費などで一千万円を使う。月平均百万円近くを使っているのだ。そのプレッシャーや緊張感は言葉では言い表せないほどだ。

本書は、サラリーマンには優秀な男になるための、独立したい人には独立するための心得を説いているのだが、正直に言うと、サラリーマンでは、独立者を越えることはできない。

男として大きな器、見た目の雰囲気（つまりオーラ）が、サラリーマンではなかなか身につかないのだ。

ノーベル賞を取っても身につかないのだから恐ろしい話だ。

田中耕一氏は立派な研究者だが、ものすごいオーラを発しながらテレビに出てきたわけではない。普通の人だった。

だが、晩年の川端康成など、「私は川端康成といいます」と言うと、たとえ文学に興味がない人間でもそのオーラに腰を抜かしたくらいだった。

あなたはサラリーマンのまま一生を終えるか。独立者となって男としてのオーラを身につけるか。

これから、その選択の時がやってくるのだ。

正直に言うと、独立して勝負してほしいのは山々だが、失敗する確率を考えると、無責任に「独立しろ」とは言えないというのが本音だ。

ただ、ひとつだけ言えることは、人生は一度だけで、あなたが目指すものが「幸せ」か「勝負」か、そのどちらかで違ってくるということだ。

もし、あなたの前に金持ちが現れたら——

人を利用すると言うと、聞こえは悪い。しかし、ビジネスでは利用してもらって助かる場合もあるのだから、相手を「仕事上の付き合い」と割り切るのは悪いことではないのだ。

その場合、相手の九十パーセントを軽蔑していても、あるいは認められなくても、残り十パーセントの良いところを探して、接する時は、その十パーセントの気持ちでいないといけない。

私が昔、アルバイトで大学病院に勤めていた時、看護婦たちから嫌われている医師がいた。

性格も悪く、おまけに口も悪い。看護婦から見れば、論外の男なのだろう。しかし、その男には腕があったらしく、患者からは頼りにされていた。

私がある日、カルテの整理をしていたら、看護婦たちが集まってきて、その医師の悪口を言い出した。私は、「女は嫌な生き物だな」と眉を顰《ひそ》めた。

「ねえ、小児科のカルテ、そっちにある?」

仏頂面でいた私に隣の看護婦が声をかけてきた。彼女の表情は呆れ返ったような、どこか寂しげなものだった。

私からカルテを手渡された時に、彼女はこうつぶやいた。

「○○先生は、とても優秀な人よ。こんな話、聞いたら駄目」

と。

私は、「わかってますよ」という笑みをその看護婦に送った。

私が病院を辞めてから、後で耳にした話だが、その看護婦は、嫌われていたその医師と結婚し、医師は教授に上りつめたという。玉の輿《こし》というやつだ。

当然、その医師を尊敬していた一部の男性医師たちも得をしているはずだ。

人間的には九十パーセント悪かったかもしれないが、彼には十パーセント、認められる医療の腕があったのだ。

あなたたちは、人と接する時に、その十パーセントのほうを重視しないといけない。

人間の大半は未熟、未完成品である。

傲慢で、自分勝手で、欲が強く、男なら女を顔で選ぶこともする。

だが、どんな人にも十パーセントの可能性があり、仕事で付き合うなら、その十パーセントのほうを見ないといけないのだ。

たとえば、あなたの目の前に金持ちの男がいたとしよう。

男は金を持つと皆、傲慢になる。「寿司を奢《おご》ってやるよ」などと、力をアピールしようとする。それは金のない人間から見ると、うらやましくもあるが、憎らしくもなる。

だが、そこで、根本から傲慢な人間か、それとも今、楽しんでいるだけなのか、見てやらないといけない。

裕福な家で育ち、庶民を見下しているような男は見るべき部分が少ないが、苦労してやっと成り上がった男もいるはずだ。

そんな男が、成功して喜んでいることくらい大目に見ないといけない。

むしろ、その男について行き、キャバクラでも奢ってもらい、成功の秘訣を聞かないと駄目だ。

成功している人間は個性が強く、嫌われがちだから、友達が少ない。

だから、友達になってくれたあなたに親切にしてくれるだろう。

そして、まだ成功していない男でも、十パーセントの可能性に賭けてみること。その男の話を聞いてやり、仕事で利用して、そして助けないといけない。

金を守るばかりでは、一生大物になれない！

日本の国民には、千五百兆円という巨額な個人金融資産がある。

ホームレスは増えたが、食うに困って道端で倒れている人は少ない。

栄養不足で病院に担ぎ込まれる人も見かけなければ、雇用者所得が大幅に減ったわけでもない。

それにもかかわらず、たとえば、ゴルフ場にまるで客が来なくなったのはなぜか。

バブルの頃は一カ月以上も前から予約しないとプレイできなかったゴルフが、今では前日予約でプレイできる。

その事実だけを見ると、日本経済はかなり困窮していると思えるが、実際はそうではない。

バブルが崩壊して、驚いた日本人は、勝手に財布の紐を締めたのだ。

バブルが崩壊したとたんに、確かに株価は暴落したが、ちょっとしたサラリーマンが何千万円も貯金を持っていた時代だ。

その金はどこに行った?

株や土地に積極的だった人間は確かに大泣きしただろうが、単純に貯蓄だけをしていた人間は、なんの被害も受けていない。

被害を受けたのは庶民の心なのだ。

有名人が、泣きながら不動産や株の話をして、ニュースは毎日のように、株価が暴落することを嘆き(実際は、狂的だった株価が元に戻っていっただけなのに)、国民を〝心理的不況〟に追い込んだのである。

国民は財布の紐を締めた。

会社は危機感から、クビ切りを始めた。

倒産したのは、バブルの頃に無茶をしていた企業が多く、同じ業務を続けていた企業は倒産などしていない。

あなたをリストラした会社は、バブルの頃に無茶をしていたのだ。集団狂気の中をなんの危機感も持たずに闊歩していたのである。

もし、あなたがバブルの頃に一緒に遊んでいたのなら、リストラされても文句は言えまい。そうではなく、今の時代に就職して会社からリストラされたのなら、運が悪いとしか言えない。

あなたは、「出来が悪い」と宣告されたと思うが、そんなことはないはずだ。リストラの時勢に乗って、気に入らない奴をクビにしているのが、現在の日本の状況なのだ。

社員を減らせば、給料を支払わない分、経営が持ち直すのは当然で、その単純明快な手段がクビ切りなのだ。

誰でもできることである。だから、リストラを敢行して一時的に利益を上げる企業は多い。

だが、クビになった人たちが路頭に迷っていては、本当の景気回復どころか、さらに悪化するだけだ。

そんな公を無視したリストラには、こちらから背を向けるべきだ。

会社にすがっていてはいけない。

独立して、日本のため、自分のために立ち上がってほしい。

社員五人の会社を立ち上げるのも、飲食業を営むのも、田舎で自給自足の農業をするのも立派な独立だ。

こんなとき、ためらわずに金を出せるか

お金はあったら使わないといけない。

財布の紐を締めていては駄目だ。年金の代わりとなる貯金は必要だが、老後のことばかり考えて生きていても快楽は得られない。

明日のことも知れないのに、ケチっていては、かえって危険だ。

不況なんて共同幻想なのだ。

高級料理店では、快楽とは何かを知っている連中が河豚《ふぐ》やフォアグラを食べている。

彼らは決して大金持ちではない。

しかし、不況を逆に利用して、お金を使って楽しんでいる。

実は私もそうだ。

勝手に不況になっているから、ゴルフがやりやすくなった。いつでもどこでもプレイできて、しかも安いのである。

サービス業は、一昔前は横柄だったが、今は必死にサービスをする。

だから、ホテルも利用するし、タクシーも使っている。

車も、新型車を開発すれば売れた時代は終わり、営業マンは必死である。

だから、こちらは買いやすい。アフターサービスもよく行き届いている。

今が遊ぶチャンスだ。

今が贅沢をするチャンスなのだ。

投資もしないといけない。

大富豪は恐慌時に生まれるのだ。

金を使うのだ。

え？　贅沢をするお金がない？　ゴルフのプレイ費は今時たった一万円だ。その金もないのか。それは論外というやつで、本書は、働こうとしない男を対象に話をしているのではない。仕事をきちんとしている人間に、「これからどうやって生きるか」を説いているのだ。

以前、私の知り合いに、「首都高に絶対に乗らない」男がいた。彼は会社の社長だった。とはいえ、運転手がついていたり、秘書が何人もついていたりするわけではない。無名の会社の社長である。

バブルが崩壊してケチになった典型的な人間だった。

とにかく、「不況だから」と経費を削って、削って、削りまくっていた。しかし、金は持っていた。財布の中には、いつも三十万円以上、札束が入っていた。だが、その金は見せびらかすだけで使わない。

「財布の紐を締めた」人間である。日本中が、こういう男ばかりになってしまい、経済が回らなくなった。

お金を使わずに、貯蓄する行動は、保守的で、一見すると利口そうに見える。女性からは、真面目な男に見られるだろう。

だが、本当は格好悪い。

俗語で言えば、ケチなだけ。

ケチな男ほど、見栄えのしない奴はいない。

先日、あるホテルの店で、妻が急に帽子が欲しいと言い出して、飾ってあった帽子を手に取った。値札を見たら、一万二千円だった。

私は財布から、お金を取り出した。数万円あったと思う。私はなんのためらいもなく、妻に二万円を渡した。

こういう男になってほしいのだ。

たかが一万二千円に驚き、妻に小言を言い、財布の中身をのぞき込んでお金の計算をしているようでは、一流には絶対になれない。

断言する。

ケチでは、あなたは一生小物のまま。

一生貧乏なままだ。

不況なのは、人の心理であり、日本は不況ではない。

金はあったら使うのだ。

それが格好いい。それが快楽だ。

あなたは、一昔前に買ったゴルフクラブを握りしめて、今から練習場へ行く。

さらに、ゴルフ店へ行き、今なら安く買える最新のゴルフセットを購入し、名門ゴルフコースへ行く。
悠然とクラブを構える。
そして、ナイスショットを打った瞬間に、大声で「勝った」と叫ぶといい。
それだけで、あなたは人生の「勝ち組」に一歩近づくのである。

5章

女には「自分のすべて」を見せてはならない！

一流と二流を決める分岐点──「恋愛」

本物の男の強さとは、優しさとは?

この世でもっとも美しいもの。

それは、純粋さを残した女性である。

では、この世でもっとも醜いものは?

フェミニズムを覚え、それを口走るすべての女だ。

彼女たちは、〝バカ〟だ。そして醜い。醜悪な顔から知性の欠片もない言葉をヒステリーのごとく発する。

私が強い男性論を書く。

すると、どこからともなく出てくる無名のフェミニストがこう言う。

「マッチョな古い思想」「男根主義」

なんと汚い言葉だろうか。「男根」の意味が分かって言っているなら、羞恥心のない出来損ないの女ということになる。

少女はこんな言葉は使わない。笑顔の絶えない美しい女もこんな言葉は知らない。

強い男性論を読めば、「強い男の人がいるんだな」と素直に思うだけである。

ところが悲しいかな、強い男性論を説いても、それを素直に受け止める女性は、すごく少なくなってしまった。

それはなぜか。

男たちが家庭にこもってしまったからだ。

それは、本物の愛じゃないのだ。

本物の強さじゃないのだ。

それを見てきた娘たちが、大人の女になり、汚いフェミニズムを覚えた。

「セクハラ」をすぐに口にする女は、家庭でも父親相手に同じ類の台詞を吐いているのだ。強い父性を持って娘と接していれば、父親はバカにされず、会社でも同じように女子社員と接していれば、「セクハラ」と喚《わめ》かれる隙などあたえない。

フェミニズムは男に対して緊張していない女が覚えることだ。

男に対して緊張感がなければ軽薄な態度をとるか、攻撃しようとするのは当たり前だ。

もし、男たちが、厳格で、強いセックスができて、外界に目を向けていたらどうなるか。

それを見て育った娘に、はたして男（あなた）に対する隙ができるだろうか。

絶対にできない。男に対して緊張するはずだ。

だが、今の時代の女たちは、男をバカにしている。緊張なんかしていないのだ。

そうでなければ、本の中でちょっと厳格な男性論を説いたくらいで、「男根主義」だの、「マッチョ」だのと攻撃してきたりはしない。

今からでも遅くない。家族とは厳格に接し、外界に目を向ける。

絶対に、暴力的になってはいけない。大声を出してもいけない。

男をバカにする言動に対しては、怜悧《れいり》に対応する。

「それはどういう意味だ？」

と。

こちらが知性的で厳格だったら、ヒステリックな女につけいる隙をあたえない。

彼女や女房のあらゆるヒステリーがあなたのストレスになるのだ。フェミニズムもヒステリーの一種だ。渋谷の街が不良娘で溢れているのもフェミニズムが原因だ。

それは、家庭の中で男を放棄してきた父親の責任でもある。皆、雨露をしのぐために家に帰っているだけではないか。

これ以上、フェミニストを増やさないためにも、あなたは〝本物〟を目指さないといけない。

たったひとつでもいい、〝謎〟のある男になれ

まず、すべての男性諸君に言いたい。

「女に財布の中身を見せるな」

と。

女とはすべての女である。

母親。女房。恋人。娘。女性社員。

とにかく、女に自分の財力を見せてはいけない。大きな財力ならともかく、小さな財力なんか見せた日には、男の威厳が失墜してしまう。

そんなことは当たり前なのだ。安い給料を女房や娘に見せれば、夫としても父親としても権威がなくなる。

だが、日本の男たちは、当たり前のように女房に給料を見せびらかす。

日本が滅びかけているのはそのためだ。

他にも、「これは女に見せてはいけない」というものは存在するが、それらをすべて晒すようになってから、女がつけ上がり始め、歯止めが利かなくなった。

女房は不倫をし、娘は援助交際をする。前項でも言ったように、男に対して緊張感がないのだ。恐怖心はおろか、畏敬の念もない。

それは、自分をすべて晒している男たちの責任なのだ。

女房と娘に緊張感がないのは、男に〝謎〟がないからである。

「給料はいくらなんだろう」

「外では何をしているんだろう」

「何時に帰ってくるんだろう」

「怒ると、どんなに怖いのだろう」

昔の男には謎があった。では、軟弱な男はどうか。

「給料は二十六万円です」「今、山田さんと飲んでいる」「十時までには必ず帰る」

女房に給料をすべて渡し、そこから一握りの小遣いを受け取る。しかも、恐縮して受け取っている。「もうちょっと増やしてくれよ」と駄々をこね、頭を下げる。調子に乗ったバカ妻は、夫に暴言を吐いて、仲のいい近所の奥さんとワインなど飲んでいるのだ。そしてあなたは発泡酒を飲むのである。

惨めを通り越してマゾだ。マゾでは、誰にも畏敬されず、革命的なことなど起こせない。

娘は、そんな父親を尊敬せず、言うことなんか当然聞かない。女が男よりも強いと思い込み、セックスも女のものだと勘違いしてしまう。極論ではなく、少女たちが売春など、不用意にセックスしているのは、父親が給料を女房に握られているからだ。男としての〝謎〟がないからである。

女に財布の中身を見せるな

私は個人主義のどうしようもない男だ。

私は妻に自分の財布の中身を見せたことがない。外で何をしているのかも教えないし、いつ執筆しているのかも分からせない。「いつの間に本を書いたの？」と驚かれる。私が怒気を見せようものなら、愛猫さえそのエネルギーに驚き、ベッドの下に逃げ込む。妻は凍りつく。

無論、私は暴力など振るわないし、怒鳴ったりしない。私の怒りは父親的な知性なのだ。息子ももちろん、私の言うことしかきかない。

妻以外に、恋人やガールフレンドがいるが、私の女たちは、決して男をバカにしていない。私のことを敬愛している。もちろん彼女たちに財力を知らせることもない。

「里中さん、いくら持ってるの?」

と、ガールフレンドが私の財布を見ようとしたら、

「女が男の財布をのぞくな」

と語気を強める。

父親にそんなことを言われたことがない女は驚くが、やがて、その意味が分かってきて、私に興味を持ってくれるようになる。セックスがしたいとか、そういう無意味な興味ではない。

「この人はどんな男なんだろう」という興味である。

少女が、街で男に声をかけられてセックスをするのは、男に興味があるからではな

い。無関心なのだ。男の精神に興味もなければ、無論、愛もない。お金のためにセックスをすることに罪悪感もない。

一方、男の精神に興味を持った女は、セックスにも愛を持ち込む。売春なんかしない。

私が疲れているのは、「一人で頑張っても無駄だ」と思ってしまったからである。私が、自分の家庭内と、一部の女の子たちの前で、男に対する女の観念を構築するための精神を発揮しても、周囲の男たちが、それを破壊しているのだ。激しい徒労である。

男は、自分が死して後も、同胞である男と女子供のためを思い、国をよくしようと思案するべきだ。

給料はすべて自分で管理せよ

結婚している男性諸君には、私からの頼みを聞いてほしい。たった、ひとつだ。

〝女房には給料を渡すな〟

あなたが、給料の中から自分の小遣いを決め、残りを女房に渡す。「文句があるなら、俺に対する言葉遣いを正せ」と、怒ってほしい。

私には一人、とても大事にしているガールフレンドがいる。

彼女の父親は、給料を妻に見せたことがなかったそうだ。自分の小遣いを先に取り、残りを妻に渡していて、家族はそのお金で生活していた。彼女が何か買ってもらう時には、父親に頼まないといけなかった。「それが普通だと思っていた」と、二十三歳の彼女は苦笑いして言った。

彼女の周囲の女の子たちは、「そんな話はありえない」と笑ったそうだ。父親の給料は妻が握っていて、「自分の小遣いもお母さんからもらっている」と言って、彼女の家は「変な家」と笑われたという。

言うまでもなく、彼女の家を「変な家」と笑った女の子たちは、男の選び方も知らないはずだ。

だが、今の時代はそれが普通になってしまった。

男らしさも知性もない男を選び、男に悪態をつき、バカにし、それで叱られないから、罪悪感もなく、それが当たり前だと思っている。母親が父親にしていたのと同じ行為を彼氏にしているのである。

私が大事にしているガールフレンドは言うまでもなく、私を敬愛していて、男を軽視するような言葉など作らない。目を見て語れば、「はい」と返事をする。

あなたの妻はどうか。

「今月の給料は俺がコントロールする」と言って、「はい」と返事をするか。

もし、悪態をついたら、そんな妻とは離婚してほしい。あなたは、妻に罵られて満足しているマゾでは駄目だ。

日本を救いたければ、いや、そんな大それた気持ちはなくてもいい。**目の前の女に尊敬されたければ、まず、〝謎作り〟から始めることだ。**

謎を作るのは疲れる。

それは、制度、慣習との闘いだからだ。

だが、あなたが闘いに疲れた時に、それを救ってくれる女が必ず現れる。それは、あなたを見直した妻かもしれないし、新しい恋人かもしれない。いや、あなたの背中に父性を感じ取った最愛の娘かもしれない。

とにかく、給料は女に見せないこと。
それだけで日本は変わる。

こんな女には絶対に近づくな！

優秀な女性は、男の仕事をサポートしてくれるし、仕事や人間関係で疲れた男を癒してくれる。フェミニストと違い、一見バカなふりをしているそういう女は、情が深く、あなたの男らしさを優しく見つめてくれるだろう。

しかし、そんな女は滅多にいない。近年は、仕事をしている男を疲れさせておいて、それに気がつかない女が増えた。

たとえばこうだ。

一、「あたしも仕事をしているのよ」と言う女。

確かに、女も男も仕事をしていたら、疲れも平等だし、家事をするのも平等だろう。

しかし、口にしてはいけない言葉というものがあるのだ。

「あたしは耐えている」とか「あたしは我慢してきた」とか、そんな台詞を吐くのも女だ。どうしても男女平等と言うなら我慢も平等なはず。

熟年夫婦の離婚話は、「あたしはずっと我慢してきた」と、女のほうが一方的に主張することが多いらしい。平等を主張しながら、言っていることは、女の弱い立場を利用した台詞。

卑怯ではないか。

本当に疲れるではないか。

そんな言葉を作る女はやめておけ。

一、酒を飲みすぎる女。

ほどほどならいいが、酒に飲まれるほど飲む女は駄目だ。

酔っ払った時にいちいち介抱しないといけない。また、それだけ酒を飲む女は絶対に体を壊す。

少々、女性差別っぽい話で恐縮だが、この本は男がどう生きるかを説いた本である。

病気になると分かっている女と付き合っていて、仕事が忙しい時に入院でもされたら、どうする？　仕事ができなくなる。

酒を飲むのはいいが、限度がある。

男も同じだ。飲みすぎはいけない。

一、金のかからない女。

金のかかる女ではない。かからない女だ。

趣味もなく、物欲もとくにない女は金がかからない。それでは男は働く意欲をなくしてしまうのだ。

たとえば、愛人を作るのは不道徳とされ、世間から非難される。しかし、愛人はお金がかかるからこそ大いに作ってほしい。

愛人ができれば、皆、愛人を囲うために必死になって働く。お金もたくさん使うから経済が活性化する。

不況を脱出するには、男たちがもっと女と遊ばないと駄目なのだ。

ただし、セックスだけの女はやめること。

情が深い、いい女を探すことだ。

他にもフェミニズムを口にする女など、無意味に進化した女については、他の章や著書で書いているからここでは割愛するが、女はやはり古風で可愛いほうがいい。

そういう女は男を疲れさせないのだ。

祖母たちが聞いたら卒倒しそうな現代風の思想を持っている女は、仕事をやり遂げようとする古いままの男たちに害毒である。

男が仕事に打ち込む精神、家庭や恋人に背を向けてでも仕事の夢を達成させようとする行動は、不変なものだ。

反面、女性は不変性を捨てて、進化しようとしている。その進化は、男の仕事を邪魔するものばかりだ。笑顔を捨てて、フェミニズムを喚く女性が多くなった。

仕事をするのは結構だが、仕事に向いていないと思ったら、さっさと会社を辞めて結婚しないといけない。仕事のできない男性社員をクビにするのは簡単だが、女性社員をクビにしたら、また「女性差別だ」と訴えられる。

ということで、最後は、**「仕事ができないのに、会社にしがみついている女」**だ。

こんなに迷惑な女はいない。私もひどい目に遭ってきた。

会社から、「君は優秀だから、結婚しても会社を辞めないでくれ」と言われているくらい仕事ができるなら構わないが、そうじゃないのに会社に居座っている女が、家庭（あなた）と仕事（会社）の両立ができるはずがない。

あなたの彼女がキャリアウーマンを目指していたら、本当に仕事ができる女なのか確かめないといけない。

妻や恋人に尊敬される男の条件

ダンディズムというと、紳士的であれとか、妻を懸命に愛せよとか、怒ってはならないとか、とかく道徳的な言葉が目立つものだ。

しかし、そんな感情を抑えた男が本当にいい男なのだろうか。

今の時代の男たちは、「我慢すること」がダンディズムだと思い込んでいる。

感情を抑えること、泣き寝入りすることと、ダンディズムは違う。

昔の男たちは、声を張り上げて相手を威嚇していたし、妻や子供を叱っていた。

だが、昔の男たちのほうがダンディーだったし、なんといっても男らしかった。

妻を愛することも当たり前だった。女遊びをしても、妻のもとに帰ってきて、最期まで愛した。

今の時代の男たちの愛し方は違う。

結婚という制度にぎゅうぎゅうに縛られているだけで、妻を愛してなんかいないのだ。一緒に暮らしていて、浮気をしなければ、それが愛だと思っている。

そんな偽りの愛情をダンディズムとは言わない。

何もかも偽りの男女平等で、女性がしてきた仕事も男がやる時代になった。

私に言わせれば、「街」は男が歩きやすいようにできているが、「家」は女が家事をしやすいようにできている。

「そんなに家事をしてもらいたいなら、システムキッチンから洗濯機置き場まで俺の書斎の中に作れ。おまえが家事をしやすいように設計したんだろう」とバカ女房に言ったことがあるか。

そう、ダンディズムとは、自分だけの言葉を作ることだ。

今風の知恵をつけた女性が思わず口を閉ざしてしまう、男の知性を発揮した言葉を作ることなのだ。

■「ダンディズム」とは何か

道徳的なことを言えば、ひとつだけダンディズムに必要なものがある。謙虚さだ。

男はとにかく、偉そうにすればするほど醜くなるものだ。

ある歌番組に出た自称大物歌手は、とても横柄な態度だった。部屋は個室。取材は拒否。リハーサルなどの時間は他の歌手よりも長く取って、挨拶もせずに帰っていった。びしっとファッションは決めていて、男前だが、果たしてそれはダンディーか。本人はきっと格好いい、ダンディーだと思っているのだろう。しかし、傍《はた》から見れば醜い。

あなたも出世するたびに態度が大きくなっていないか。

横柄な態度からは、怜悧な知性が滲《にじ》まない。ただ、バカを晒しているだけである。

ダンディズムとは、「男」を見せることである。

会社で、あなたが見せるダンディズムは、女性社員たちに、妻と子供を懸命に愛していることを晒すことではない。

謎を見せて、ずっと一人の男でいることなのだ。

偉そうにせず、しかし、仕事をミスした女性社員をきちんと叱る。

自分に似合ったスーツを着る。

体を鍛え、スリムな体型を維持する。

見るからに説得力のある男になることだ。

そして、永遠に女性から愛される男になることだ。

妻だけではなく、たくさんの女性から敬愛される男になることだ。

昔の男たちが妻に愛され、尊敬されていたのは、「男」だったからである。

制度に縛られない「男」だったからである。

私が言うまでもなく、男と女が明確に違った時代は、とうに終わっている。

しかし、セックスの本能は不変だし、男が築き上げた街は、突然女性が住みやすくなるはずはなく、男は、しっかりと女性を守れる男でないと駄目だ。

男が建設した街で、女性をエスコートする。

そして女性がうっとりとするような男らしさを発揮する。

生活臭さを出さずに、生涯、一人の男でいる。
あなたのダンディズムは、妻や恋人に尊敬されているか。
自由で、知性的な男らしさを発揮しているか。
今一度考えてほしい。

「男の威厳」がこの国を強くする！

〝マイホームパパ〟という言葉が流行した時代以降に生きてきた男たちは、何もかも喪失した。

威厳のある父親が存在せず、父性を喪失した。

内向的な父親を見てきて、狩猟意識を喪失した。

会社に入ると、父性のない男たちは器量がせまく、強さがなく、女性社員の信頼を得られない。

狩猟能力がなく、外交的な仕事ができないので、会社に残る古い人脈にしか頼れない。

マザコン男は、年下の女性を扱えず、キャリアウーマンをつけ上がらせた。

昔、男たちは、己の技術と強大な行動力、想像力で、会社を築いてきた。しかし、後を継いだ者たちが出来損ないで、会社は大きくならない。現状維持が精一杯で、なかにはつぶれる会社も出てきた。

男が駄目になったのだ。

エディプス・コンプレックスを経験していない男たちに、何ができるというのだろうか。

今で言えば、主に三十代の男たちだろうか。いわゆる企業の中核にいる働き盛りの世代である。

エディプス・コンプレックスは父親が強大ではないと経験できないのである。

マイホームパパが定着し、それが当たり前の時代になってから、父親は少年の敵でもライバルでもなくなった。

家では、妻に小言を言われて小さくなり、煙草を吸うにも外に出る。給料は自動的に家族の口座に振り込まれる。子供は父親がなんのために存在しているのかも分からない。

本来なら、母親が「父親の重要性」を子供に説くのだが、「女性と靴下は強くなった」という言葉を「女性は偉くなった」という意味に勘違いした母親たちは、傲慢になり、フェミニズムをヒステリックに喋るようになった。

朴訥《ぼくとつ》だった男たちは、理屈を言う妻たちに圧倒され、家にいる必要性をなくした。したがって、父親は家に存在しなくなったのだ。

母親に恋した少年は、父親という壁を越えることなく、母親にその想いを遂げるようになった。

夫に愛想をつかしている妻は、息子にべったりで、マザー・コンプレックスを発揮してくる息子を受け入れてしまう。

二十歳を過ぎた大学生にもなって、下着は母親が選び、部屋の掃除も母親がし、母親の作った弁当を持っていく大人の男ができ上がってしまう。

彼らのようなエリート大学生は、そのままマザコンの精神で企業に就職した。

エディプス・コンプレックスを経験していない彼らは、一人では何もできないが、高学歴。年功序列が残っているため、年齢に応じて、技能も何もないのに出世していく。

バブル末期の日本は、こんな青二才たちで埋めつくされていたのだ。

そんなマザコンの男たちに何ができるというのだろうか。

教えてほしい。

■何が日本を駄目にしているのか

私は似たような話を自身のHPにも書いたが、ずいぶん批判された。

マザコンエリートだけでなく、団塊世代の人たちにだ。「偉そうに言うな」と。

では、あなたたちは何をしたというのだ。

今の日本は、あなたたちが基盤を作っている。絶大な行動力を持つ、父性を持った男たちはとうに引退し、その跡を継いだのがあなたたちだ。

結果はどうだ。

バブル崩壊。

慢性的な不況。

援助交際という名の少女売春。

自殺。

低年齢化する少年犯罪。

政治に無関心な若者たちは選挙の投票にも行かない。「2ちゃんねる」と呼ばれるサイトでは、二十四時間インターネットを見ているあなたたちの息子が他人の誹謗中傷をしたり、犯罪を増長させる異常な世界を構築した。

公共マナーは無視され、電車の中でも喫茶店でも携帯電話で大声で話す若者ばかり。少女が下着を見せて歩いているのも、父親に威厳がないからだ。あなたたち父親が娘から無視されているのだ。

男たちが短絡的で甘いから駄目なのだ。

父親のエスプリをなくした日本。

欧米なら違う。欧米にはキリストがいるからだ。

しかし、日本には父親に代わる宗教がない。

母親は女だから、父親にはなれない。

私は女性を差別しているのではない。子宮とペニスは絶対に交換不可能なのだ。女に子宮があり、男にペニスがある以上、その精神は、それに追随する。

今も、父親が没却されたまま大人になった男の子たちが企業に就職し、母親に依存したまま仕事をしている。

乳房に顔を埋めるだけのセックスしかできない男たちに、女性社員を引っ張っていく器量があるのか。

それで経済が発展し、少年犯罪が減り、少女売春がなくなったら見事なものだ。

私の言っていることは、「偉そう」だろうか。

もう一度、本物の男らしさについて考えてほしい。

仕事でも家庭でも、男の威厳を発揮してほしい。

6章

一流と二流を決める分岐点――「逆境」

哲学のある男に敗北はやってこない!

逆境は男を変える最大のチャンスである

人の最悪は「死」と「体が動かなくなること」だ。

それ以外は最悪でもなんでもなく、あなたが健康ならば、会社からリストラされても会社が倒産しても何も悲観することはない。

むしろ、一からやり直せる快楽というものを知ってほしい。

人生を一からやり直すチャンスはめったに来ない。きっかけが作れないのだ。

皆、きっかけを作れないまま怠惰に時を過ごし、年老いていくのだ。

もし、リストラというきっかけをもらったら、幸運だと思わないといけない。

私の言っていることは無責任だろうか。

作家という私の仕事は、あなたの周りから聞こえてくる一般論や噂話とは違う考えを説くことなのだ。

リストラ・倒産は、第二の人生を歩むチャンス。笑わないといけない。

急に給料がなくなって、焦るようではいけない。

いくら、せこく生きるな、と言っても、三カ月分くらいの生活費は蓄えておくべきだ。三カ月あれば、何かしらできる。

また、自分をクビ切りしたような会社にいつまでも愛着を持っていてはいけない。

私の友人で、ある電気メーカーをクビになった男がいた。本人は、自分から辞めたと言っていたが、おそらくはクビになったのだろう。

ところが、この男、いつまでも、その電気メーカーの製品に愛着を示しているのだ。パソコンが壊れた時など、てっきり違うメーカーの製品を買うだろうと思っていたら、「やっぱり○○社製品が好きだ」と言って、自分をクビにした会社のパソコンを買っているのである。

はっきり言って、惨めだ。リストラされたら、その会社のことはきっぱりと忘れて、すべてをリセットしないといけない。

リセットするチャンスなのに、妙な執着心を持っていては、企業ストーカーである。

私は作家だから、リストラされることはないと思われるだろうが、そうでもない。今までに、縁を切られた出版社がけっこうあるのだ。そのたびに、リセット。また、別の出版社を探す。

新しい出版社が見つかって、そこから出した本が売れた時、その快楽は言葉にできないほどだ。痛快である。私を見放した出版社に対して胸を張れる。見返すことができるのである。

あなたにも、そうしてほしいのだ。自分をクビにした会社にいつまでもしがみついていないで、見返さないといけない。

あなたが新しい事業を始めて成功したら、それが伝わるだろう。その時、初めて、あなたをクビにした会社は後悔し、あなたを笑っていた女性社員は、あなたを素敵だと思い直し、あなたをバカにしていた同僚は、あなたに嫉妬するのだ。

リストラ・倒産は、新たな人生の第一歩を踏み出す絶好のチャンスだ。

落ち込んでいる場合ではない。

ましてや、自殺など考えてはいけない。

体が健康なら、なんでもできるはずだ。

家に閉じこもっていてはいけない。

街に出て、仕事をしている人たちを観察し、うるさい妻には、「騒ぐな。これからが面白いんだ」とびしっと言わなければいけない。

もう一度言う。私の言っていることは確かに無責任だと思う。

だが、自殺したいほど苦しんでいる人を助ける言葉は、同情の言葉ではない。

責める言葉でもないのだ。

人生は楽しいと教える言葉である。

ストレスの原因は「自分の中」にある

疲労とは、体力的な衰えだけが原因で感じるものではなく、ストレスによるところも大きい。

体力の消耗は、栄養を摂って寝れば回復する。

したがって、男たちが「癒されたい」と口にするのは、精神的なストレスで疲れているからだと判断できる。

しかし、それは甘えている。

先に言っておくが、日本人たちは疲れてなんかいないのだ。

〝癒し〟という言葉を巧みに使い、商売を企んだ人間たちに、「おまえは疲れている」と暗示をかけられたのである。〝癒しブーム〟と言われる昨今だが、ブームなんか大半がそうだ。

日本は快適な国だ。真夏には冷房が効き、真冬には暖房が入り、三食食べられて、テレビは誰でも持っている。他の国に比べて犯罪は少なく、街で行き倒れている人はいない。

あなたの年収が三百万円だとする。しかし、公営住宅でもアパートでも、隙間風が入ってくるとか、ネズミが走り回っているとか、悪臭がひどいとか、発展途上国のような事態にはなっていないはずだし、月三十万円以上の収入があれば、小遣いもそこそこあるだろう。ひょっとしたら、車も持っているのではないか。

それで、何がストレスで、どうして癒されたいのだ。

もし、死ぬほど働いて、妻にはゴミ扱いされて、娘には嫌いと言われて、それで小遣いが三万円というなら、確かにストレスは溜まるだろう。

しかし、そんな不憫《ふびん》な男はわずかなはず。なのに、日本中が、「疲れた。疲れた」と言っているのだ。そんなに疲れた男たちが多いはずなのに、病院が疲れた患者で溢れてパニックになるという話も聞かないではないか。

あなたたちの「疲れた」は、我慢できる範囲の「疲れた」である。

本当に疲れた人の「疲れた」も、実は大して疲れていない人の「疲れた」も一緒にされてしまっているのだ。

あなたは疲れていない。絶対に疲れていない。

ぐっすり寝て、朝起きた時に、「ああ、疲れた」と感じるのか。もし、朝から疲れていたら、その場合は病院に行かないといけない。本当に病気だと思う。

■〝目の前の敵〟を倒さなければ、ストレスはなくならない

「日本人は疲れている」

そう勝手にどこかの業界が決めつけているだけだ。それで商売しているのである。

あなたが男として、あるいは夫として否定されていることがあったら、疲れるかもしれない。そんな時には、女房を正視して、こう言ってみたらどうか。

「おまえ、俺を誰だと思ってるんだ」

と。

男は自由を奪われたら疲れるのである。

夜遊びを禁じられたり、小遣いを制限されたり、浮気は絶対に許さないと言われたり、そう、女に縛られたら疲れるのだ。あなたが子供の頃、義務教育に縛られて疲れていたのと一緒だ。

あなたが疲れているのは、時代のせいではない。

あなたの一番身近にいる人間が、あなたを追いつめているのである。

それが妻か会社の上司か私には分からないが、男がしなければいけないことは〝目の前の敵〟をやっつけることだ。

仕事の上で、女の笑顔なんか必要ない。女の乳房に甘える必要もない。

目の前の敵をやっつければ、ストレスはなくなるのである。

私も妻に縛られそうになったことがある。夜に出かけることを否定された。それはすごいストレスだった。

その時、私はこう言ったのだ。

「俺から自由を奪ったら、終わりだぞ」

そして、背中だけ見せておいた。これでストレスがなくなったのだ。

今の日本は、どこに行っても快適だ。あなたが今、この本を読んでいる部屋には、テレビがあり、飲み物のストックもある。ストレスになるものは何もない。

〝癒しブーム〟になんか、だまされてはいけない。

「俺は疲れている」と暗示をかければ、誰でも疲れる。

「男を癒したい」と思っている女なんかあまりいないから、「俺、疲れているんだ」なんて愚痴っていても、女に嫌われるだけである。

朝起きた時から疲れがひどかったら病院へ行く。

そうじゃなければ、目の前の敵を倒してほしい。

仕事のプレッシャーをいかに乗り越えるか

親からいろんなことを言われる男性諸君へ——。

「実家に戻ってこい」「早く結婚しろ」「孫の顔が見たい」「まだ課長になれないのか」など、親は気軽に言っているのかもしれないが、こちらにはプレッシャーになる。

それ以外に妻からのプレッシャーもあるだろうし、もちろん仕事上のプレッシャーもあるだろう。

この項では、流行で「疲れた、癒されたい」と愚痴っている男にではなく、心底疲れてしまった男にメッセージを送りたい。私はあなたたちの味方だ。

プレッシャーが重度になってくると、心身症になってしまう。胃痛、頭痛、心臓の動悸、不眠など、様々な苦しみに襲われる。だが、他人は、そんな病気を理解してくれない。

私は「泣き言」を言う男は軽蔑するが、「喋る」男は軽蔑しない。なぜなら、心身症の治療法は「喋ること」だからだ。

胃に穴が開きそうなプレッシャーに襲われたら、それを誰かに言うのだ。「俺、胃に穴が開きそうだ。ちょっと病院に行きたい」と。

子供が心身症にならないのは、いつも泣き喚いて苦しいことを喋っているからだ。だから、子供でも、内にこもりやすい無口な子は心身症になってしまうのだ。

自分の中にため込んでいて、プレッシャーが百パーセントのしかかってくると、心が破綻し、心身症の発作に見舞われる。

だが、誰かに喋ると、それは何パーセントか軽減されるのだ。

たとえば、上司から苛酷なノルマを課せられるなど、プレッシャーをかけられたとする。

そんな時は、気の合う仲間に、その上司の話をするのである。課せられたノルマの話でもいい。

他人に喋ると、その問題はあなた一人の問題ではなく、二人の問題になったような感覚に包まれ、気が楽になるのだ。

■ストレスの怖さを知っているか

何事も、自分一人の中にしまっておくのはよくない。

昔、新幹線に乗ったとたんに、原因不明の胃痛に襲われたことがあった。「名古屋から東京まで約二時間停まらない」と思うと、胃はますます痛くなって、私は額に脂汗を流した。

胃が突然割れて吐血した知人の話を思い出す。まさに悪循環。激痛で私は気を失いそうになった。「たぶん吐血するんだろうな」と観念し、私はトイレに行った。

これがよかったのだ。我慢していたら、本当に吐血していたかもしれないが、トイレの中で、「胃が痛い。いったい、なんなんだ」と何度も叫んだ。そうしているうちに、胃痛が治まってきたのだ。

仕事のプレッシャーも、観念して誰かに喋らないといけない。「俺にはこのノルマは重すぎる」と言ってしまえ。

次の瞬間、気が楽になり、その仕事ができるようになる。できるようになったら、同じ相手に、「あの時、重すぎるって言ったけど、やってみたら楽なもんだったよ」とごまかしておけば、あなたのプライドも保たれる。

我慢は禁物。

妻がいるなら妻に。

恋人がいるなら恋人に。

妻も恋人もいなければ友人に。

どんどん喋らないといけない。

格好悪くてもいい。体のほうが大事だ。ストレスによる心身症も病気だ。我慢していると、寿命に関わる大変な病気なのだ。

それを、とくに日本人はあまり理解してくれない。心療内科は病院の片隅にあり、精神科に通うと、奇異な目で見られてしまう。

だけど、心にひとつも病のない人間のほうが無神経な、どうしようもない奴らなのだ。

胃潰瘍になる。円形脱毛症になる。不眠症になる。鬱病になる。

繊細な人間、頭のいい人間はバカになれず、こういった病気を発症する。

あなたは、心身症を発症した時に、自分が弱いと思わずに、「自分は偉い」と思わないと駄目だ。プレッシャーで苦しい時も、「プレッシャーを感じられる自分は賢いんだ」と思うことだ。

そして、耐えられなくなった時には、真面目に考え込まずに、誰かにバカみたいに喋ってほしい。

孤独にもがいているのは自分だけじゃない！

「孤独」を悲観している人の多くは、「生き甲斐」を持っていない。

友達がいなくても、親が早くに死んでいても、「生き甲斐」を持っていたら、そんなに孤独が辛くはならない。

しかし、生き甲斐なんか誰にでもあるわけでなく、それでも生きているものだし、大人になって、「友達百人できるかな」なんて歌に憧れているわけでもあるまい。

一部の華やかな有名人を除けば、誰でも平凡な暮らしを送っていて、孤独感を持っている。

なのに、「私は孤独で平凡で生き甲斐もない」という悩みを口にするものだ。

私も寂しがり屋だが、それを直すことなんかできない。

誰かと飲みに行っても、店から出たらもう一人。楽しいひと時なんか一瞬で終わる。四六時中、誰かにべったりくっついていてもらっていれば、孤独が解消できるのかもしれないが、そんなことをしている人間はいない。

若いのに、「孤独で寂しい」「生き甲斐がなく、平凡な人生」と思い悩んでいる人は、甘えているのだ。

皆、そうなのだ。

皆、平凡な人生を送っているのだ。

その中で、ささやかな生き甲斐を見つけ、楽しみを見つけ、人は毎日を生きている。

■孤独を感じた時は、どうすればいいか

孤独な時は、人の話を一生懸命聞くことだ。

見返りを求めてはいけない。

人の話は肥やしになる。

そして、話をした相手はいつか、「あの時、あの人が話を聞いてくれた」と、あな

たのことを思い出すだろう。

人の記憶に残ったあなたは、決して孤独ではないのだ。

まったく人と接する機会がないという人。

それは努力を怠っている。

旅に出て、田舎の町を歩いていたら、地元の人と話す機会くらいはできる。それすらもしないで、話し相手がいないと言われても困る。

会社に勤めているのに、話し相手がいないなら、それは自分が人を拒んでいるのだ。あるいは、仕事上で仲間に迷惑をかけていて嫌われているのである。

だから、まずは仕事ができるようにならないといけない。

なんの努力もせずに、「自分は孤独だ」と嘆き、他の人も苦しんでいるのに、自分だけが「平凡な人生」と悲劇を主張するのは、甘えにほかならない。

上を見れば限りがない。

友達は派手に暮らしているかもしれない。

だが、自分は自分。

たとえ自分の人生が平凡でも、その平凡さを感じ取れる「深み」を持ってほしい。

人の話を熱心に聞き、自分のことを腹を割って話せば、あなたは誰かの記憶に残る人間になるだろう。

孤独でも平凡でもない、素敵な人生になると思う。

私なら、話を聞いてくれる人を離しません。

あなたは、何のために生まれてきたのか?

私は、物心ついた時には「サラリーマン」を拒絶していた。

「一人で何かやりたい。自分がリーダーでありたい」と思っていた。しかし、学校で自分の能力を発揮する場所がなく、登校拒否などをしていた。

最初に目指したのは将棋士。思えば、この職業がもっとも孤独な仕事だと思う。とにかく己との戦いで、部下もいなければ上司との確執もない。

だが、早くから心臓神経症の徴候が出ていた私は、じっと正座をして行う将棋が辛くなっていた。それから、二輪レーサー、漫画家などを目指したが、結局、作家の道を選んだ。といっても、もちろん簡単になれるわけではなく、一時期はサラリーマンもしていた。

誰でも夢があって、サラリーマンをしながらも、その夢を追いかけている。しかし結局、夢破れ、サラリーマンのまま一生を終える人が大半だ。

私の場合は、夢が破れなかった少数派だから、なぜ破れなかったか、最後にその理由を書かないといけないだろう。

病気だったからだ。

心臓神経症という不治の病と闘っていた。

それは、本当に苦しい生活だった。その上、夢も達成できなかったから、自分は何のために生まれてきたのか分からない。ただ、苦しむためだけに生まれてきたのだと言わざるを得なくなる。

それが嫌だったのだ。そこから不屈の精神力が築かれたのである。

〝最悪は死だ。それ以外は最悪ではない〟

これが私の口癖だった。

これくらいの気持ちがあって、何か怖いものがあるか。

皆さんの怖いものは、きっと経済的に生活が苦しくなることだろう。辞表を出した時に感じる将来への不安などだ。

それは最悪なのか。

独立する夢があったのに、叶える勇気がなくて、会社にしがみついている人は、夢破れたのではないのだ。

不屈の精神力がなかったのである。清水の舞台から飛び降りなかったのである。

ささいな不安やプレッシャーを「最悪」と思ってしまったのだ。

今日から自分に言い訳をやめる

最悪は死だ。

それ以外、あなたは何をしてもいい。

会社に辞表を叩きつけて、独立してもいい。

それで失敗しても、そんなのは最悪ではない。死ぬ前に、「俺は夢が叶えられなかった」と悔やんで死ぬのが最悪なのだ。

独立する度胸もなくて、間抜けな会社にしがみついているのは最悪ではなく、滑稽なのだ。分かるだろうか。

また、しっかりとした夢があるのに、会社から評価されて、それで満足している人もいる。満足といっても、無理矢理に満足しているだけ。すなわち、自分に「満足するよう」言い聞かせている精神状態だ。

私はサラリーマン時代、チームリーダーを任せられるほど評価されていた。高校中退、すなわち中卒なのに、アルバイトたちを仕切り、大卒の新入社員の面倒を見ていた。

普通はそれで満足してしまうだろう。

別の夢があっても、「会社が自分を評価し、欲してくれている」という充実感はある。だから、夢を捨てて会社に人生を捧げる。それはそれで、悪いことではないと思うが、年老いた時に、「俺は作家になるのが夢だったんだ」などと愚痴らないように願いたい。

定年の時に退職金がまったく無くても、「俺はいったい今まで何をしてきたんだ」と怒らないことだ。

しょせん会社は組織。上が変わればあなたの評価も変わる。時代が変われば、収入も変わる。その時に、「若い時にあの夢に向かって独立しておけばよかった」などと絶対に言わないことだ。格好悪い。

私は、自分を評価してくれている会社を辞めた。

「文章を書く時間が欲しい」と言い、無職になった。

それから三年ほど貯金と競馬と女の金で暮らし、その間に、心臓神経症の名医を見つけ、いい薬をもらい、三十歳でフリーライターになった。

夢の一部を叶えて、後は本を上梓することに向かって驀進《ばくしん》した。

今、私は思っている。あの時、会社を辞めてよかった、と。

会社からは、いい待遇を受けていたが、夢を追うことに決めた。

それが今の充実した生活につながった。金、女、仕事、何もかもが自由自在だ。

組織などにも縛られない。

結果、心臓の調子もよくなっている。

何が最悪か分かった時、あなたは夢をつかむ第一歩を踏み出すだろう。

あなたの勝負はこれからだ。

あとがき

今でこそ格好いいことを語っているが、私だって、若い頃は、駄目な男だった。病気をしていたという不利があったにせよ、親に甘えていたし、男がどう生きるべきかも分かっていなかった。

私の若い頃はバブル期の終わり頃で、男たちは、のんびり暮らしていて、とても弱く、女たちは、お金にしがみついていて、傲慢だった。

一昔前には、女の下僕のようになって働く〝アッシー君〟とよばれる男たちがいっぱいいて、今はニートと呼ばれる男たちが増殖している。

そんな中、一部の男たちだけが、「俺は金持ちになる」「成功してやる」「女をいっぱいモノにする」と闘ってきた。

それが、今の時代の「勝ち組」の男たちである。

私もその一人だ。

バブルにも流されなかったし、不況にも屈しなかった。

冷静に時代を正視し、周囲に流されなかった。

しかし、女に対しては心理学の定石通り弱く、二十歳の頃に恋愛で大失敗をした。

それがよかったのだ。二十歳の時に付き合ったその女を、もう一度、振り向かせたくて、三十歳まで努力した。

どうしたら、男らしくなるか。

どうしたら、仕事で成功するか。

何が美徳で、何が悪徳か。

男が経験しておかなければならないのは、どんな世界か。

その結果、男は、仕事で成功しなくてはなんら価値がなく、セックスをしなければ、生まれてきた意味もなく、決断力、判断力がなければ、なんの役にも立たないことを理解した。

その後、私は結婚し、仕事で成功し、多くの女たちをエスコートできる男になった。

そこにたどり着くまでに十年かかったのだ。

あなたは、今すぐ人生を好転させたいと思っていないだろうか。

それは無理というものだ。

男は、自分の信念をもとに、経験を積んでいかないと、強者になれないのである。

優しくもなれない。

バカな女は簡単に手に入る。ニートやダメ男を保護してくれて、セックスをさせてくれる女もいっぱいいる。

安っぽい仕事も手に入る。従業員たちが、飲み屋で上司の悪口ばかりを言っている駄目な会社ならいっぱいある。給料も安い。

それで妥協していてはいけない。

男に生まれたからには、成功しないと駄目なのだ。

そのためには、十年は耐えることだ。


私は病気も完治していないし、仕事もすべてが成功しているわけではない。だから、まだ努力し続けているし、向上しようとしている。

苦しかった時代から、もう二十年は経過している。疲労も蓄積しているが、まだまだ頑張る。

なぜなら、私は男だから。

女たちに愛されたいから。

仕事で成功したいから。

そして、次の日本を背負って立つ若者たちに、男がどうあるべきかの「ヒント」を与えたいからである。

本書は、小社より刊行した同名の文庫本を再編集したものです。

一流《いちりゅう》の男《おとこ》、二流《にりゅう》の男《おとこ》

著　者――里中李生（さとなか・りしょう）

発行者――押鐘太陽

発行所――株式会社三笠書房

〒102-0072 東京都千代田区飯田橋3-3-1
電話：(03)5226-5734（営業部）
：(03)5226-5731（編集部）
http://www.mikasashobo.co.jp

印　刷――誠宏印刷

製　本――若林製本工場

編集責任者　迫　猛

ISBN978-4-8379-2420-3 C0030

三笠書房

里中李生

できる男は「この言い訳」をしない

ここで決まる! 強者の生き方

あなたに強力な「意識改革」を起こす本

「言い訳」をやめると、ここまで人生は変わる

◉「前例がない」――だから挑戦する価値がある
◉「学歴がない」なら、徹底的に「才能」を磨く
◉「仕事人間」ほど言い訳をしない
◉「夢を断念する」口実を探すな
◉いい意味で〝怖いもの知らず〟になる
◉「失敗」したときにわかる「伸びる男」「伸びない男」
◉モテないのは、「魅力」がないだけだ

人生の突破口を開くためのカギがここにある!

T10072